인도공장 설립하고 운영하기

인도공장 설립하고 운영하기

발 행 | 2024년 5월 31일
저 자 | 이창섭
펴낸이 | 한건희
펴낸곳 | 주식회사 부크크
출판사등록 | 2014.07.15(제2014-16호)
주 소 | 서울특별시 금천구 가산디지털1로 119 SK트윈타워 A동 305호
전 화 | 1670-8316
이메일 | info@bookk.co.kr

ISBN | 979-11-410-8704-3

인도공장 설립하고 운영하기

이창섭 지음

목차

머리말 6

제1장 인도공장의 가치 9

제2장 입지 선정 및 계획 14

제3장 공장 건설 35

제4장 장비 조달 및 설치 55

제5장 인력 채용 및 교육 73

제6장 공장 가동 92

제7장 제품 영업 및 판매 122

제8장 경리 및 세무 관리 133

제9장 라이선스 및 규정 142

제10장 인도 문화 및 생활 156

감사의 글 186

머리말

"인도에 공장을 설립한다"라는 말은 많은 사람들에게 막연하고 심지어 두려운 도전으로 다가올 수 있다. 한국에서도 공장 설립은 복잡하고 어려운 일이기 때문에, 인도에서 외국인으로서 사업을 시작하고 공장을 설립하는 것은 더욱 큰 도전이 될 수밖에 없다.

이러한 도전 앞에서, 나는 특별한 전문가도 아니었고, 두드러진 경력도 없었다. 그래서 인도에서 공장을 설립하고 운영하는 과정에서 수많은 시행착오와 어려움을 겪어야 했다. 하지만, 한국 본사의 믿음과 지원, 인도의 전문가들과 현지 직원들의 도움이 있었기에 가능했다.

현대 사회는 정보 홍수의 시대다. 인터넷을 통해 필요한 정보를 쉽게 얻을 수 있고, 배우고자 하는 새로운 지식도 다양한 플랫폼을 통해 접근할 수 있다. 인도공장 설립에 관한 정보도 쉽게 얻을 수 있겠지만, 이 책을 집필한 이유는 단순한 정보 제공을 넘어선 나의 직접적인 경험에서 우러나온 실용적인 팁들과 과정들을 공유하고자 함이다. 수많은 전문가와 정보가 존재하더라도, 실제 경험에서 얻어진 노하우는 그 어디에서도 쉽게 찾아볼 수 없는 귀중한 자산이다. 이 책을 통해, 인도에서 공장을 설립하며 겪었던 다양한 경험과 노하우를 공유하려 한다.

이 책에서 다루는 '공장'은 대규모 대기업의 공장이 아니다. 대기업은 이미 충분한 자본과 전문가를 갖추고 있어 그들의 이야기는 별개의 영역에 속할 것이다. 본 책은 자본과 인력의 한계가 있는 중소기업, 개인 사업자, 혹은 인도 진출을 고려하고 있는 이들에게 기본적인 도움을 주고자 작성하였다.

인도는 주 별로 다양한 법률이 적용되고, 제조 아이템에 따라 다른 법률을 적용해야 하기 때문에 복잡한 법률적인 부분을 세세하게 다루기보다는 이를 효과적으로 탐색하고 이해하는 방법에 대한 가이드를 제공하고자 한다.

이 책을 읽는 모든 이들이 나의 경험을 통해 자신의 사업 여정에 도움이 되는 지식과 영감을 얻을 수 있기를 희망한다.

제1장 인도공장의 가치

인도는 공장 설립에 있어 많은 장점을 가진 나라이다. 그 중에서도 가장 눈에 띄는 것은 저렴한 인건비로, 일반 생산 직원 급여가 월 20~30만원 수준으로 한국의 10분의 1 수준이라는 것이다. 물론, 문화와 가치관의 차이로 인해 한국인 직원의 능력이나 역량과 비교할 수 없지만, 저렴한 인건비는 기업의 경쟁력을 높이는 데 큰 역할을 한다. 이러한 저렴한 인건비 덕분에 기업들은 생산비를 크게 절감할 수 있으며, 이를 통해 다른 영역에 투자하여 경영 전략을 개선할 수 있을 것이다.

또한 인도는 젊은 인구가 많아 필요한 인력을 쉽게 구할 수 있는 것이 또 하나의 장점이다. 인도는 평균 연령이 젊어서 기업들이 필요로 하는 인력을 쉽게 확보할 수 있으며, 이를 바탕으로 높은 생산성과 효율성을 달성할 수 있다. 인도에 공장을 설립하면 기업은 생산 비용을 절감하고, 높은 생산성을 유지할 수 있다. 이는 기업의 경쟁력을 향상시키는 데 기여할 것이다.

거대한 내수시장도 인도공장을 설립하는 데 큰 이점이다. 인도의 인구는 세계 1위가 되어 인도 내수시장만 제대로 겨냥해도 충분한 승산이 있다. 이를 통해 기업은 다양한 제품과 서비스를 판매할 수 있는 기회를 얻을 수 있을 것이다. 더 나아가 인도에 공장을 설립하면 기업은 인도를 시작으로 글로벌 시장으로 확장할 수 있는 기회를 얻을 수 있다. 인도와 인접한 국가 들과의 무역 협력을 통해 기업은 국제 시장에서의 입지를 더욱 확고하게 할 수 있을 것이다.

결국, 인도에서 공장을 설립하는 것은 기업에게 지속적인 성장과 발전을 이루어 낼 수 있는 큰 도움이 될 것이다. 이를 통해 기업은 전 세계 시장에서 경쟁력을 높이고, 더 많은 성공을 거둘 수 있을 것이다. 인도공장을 설립함으로써,

인도의 다양한 장점들을 활용하여 글로벌 시장에서 두각을 나타낼 수 있다. 이러한 장점들을 이용해 기업은 높은 수익과 지속적인 성장을 기대할 수 있다.

인도와의 교역은 다양한 문화적 배경을 가진 현지인 들과의 협력을 통해 기업의 성공을 이끌어낼 수 있다. 더 나아가, 인도 시장의 경험은 기업이 전 세계 다른 국가 들과의 협력에서도 통찰력과 역량을 발휘할 수 있는 기회를 제공한다. 이러한 경험은 기업이 다양한 시장에서 글로벌 리더십을 발휘할 수 있도록 도와줄 것이다.

또한, 인도공장을 통해 기업은 현지화 전략을 성공적으로 수행할 수 있다. 인도 시장의 특성을 이해하고 이를 제품과 서비스에 반영함으로써 인도의 소비자들에게 더욱 매력적인 제안을 제시할 수 있다. 이를 통해 기업은 인도 시장에서의 입지를 더욱 확고하게 하고, 꾸준한 성장을 이루어 낼 수 있을 것이다.

최근 몇 년 동안 인도 정부는 외국인 투자를 적극적으로 유치하기 위해 다양한 정책을 시행하고 있다. 이로 인해 외국 기업들은 인도에서의 사업 확장에 있어 더 많은 기회와 혜택을 누릴 수 있다. 이러한 정부 정책은 기업에게 더 나은 경영 환경을 제공하며, 인도에서의 제조 시설 설립을 더욱 매력적으로 만들고 있다.

    그렇다고 인도가 오직 장점만 있는 것은 아니다. 업무 처리 속도가 느리고, 책임감보다 변명을 더 많이 하는 것처럼 보이는 인도인들로 인해 화가 날 때도 있다. 또한, 높은 세금, 관료주의적인 공무원들과 느린 관공서 업무 등 인도의 어려운 점도 상당하다. 그러나 중요한 것은 인도가 기회의 땅이며, 앞으로 무궁히 발전할 가능성이 높은 곳이라는 사실이다.

인도 지도와 국기

종합적으로 볼 때, 인도에 공장을 설립하는 것은 기업에게 높은 경쟁력, 지속적인 성장, 그리고 글로벌 리더십을 발휘할 수 있는 기회를 제공한다. 이를 통해 기업은 전 세계 시장에서 더 큰 성공을 이루어 낼 수 있을 것이다. 이제는 인도에 공장을 설립하는 것의 중요성을 깊게 이해하고, 이러한 기회를 적극적으로 활용할 때가 되었다.

제2장 입지 선정 및 계획

◆ 적절한 위치 선정

인도는 광범위한 국토와 다양한 지역적 특성을 가진 나라로, 각 지역이 경제적 발전, 문화, 인프라, 그리고 기후 조건에 있어서 서로 다른 특징을 지니고 있다. 이는 사업을 위한 위치 선정에 있어 매우 중요한 요소로 작용하기 때문에 사업의 목적과 성격에 적합한 지역을 선택하는 것이 좋다.

IT나 소프트웨어 중심의 스타트업의 경우, 대표적으로 방갈로르나 하이데라바드와 같은 지역이 좋다. 이들 지역은 인도에서 기술 및 IT 산업의 중심지로, 혁신적인 기술 개발과 창업 활동이 활발하게 이루어지고 있다. 이러한 지역들은 우수한 인재 풀, 발달된 기술 인프라, 그리고 창업을 지원하는 각종 정책 및 네트워크를 제공하고 있다.

반면, 제조업을 고려하는 경우에는 델리, 첸나이, 푸네, 뭄바이 근처의 산업 지역을 고려해 볼 수 있다. 이들 지역은 물류와 운송이 용이하고, 생산에 필요한 인력과 자원이 풍부하며, 제조업 관련 인프라가 잘 구축되어 있다.

인도에는 각 산업별로 특화된 산업단지가 다수 존재한다. 자동차, 전자, 의류 등 특정 산업에 특화된 산업단지는 해당 산업과 관련된 기업들이 모여 있어, 협업 기회의 확대, 공급망 최적화, 전문 인력 접근의 용이성 등 다양한 이점을 제공한다. 예를 들어, 자동차 산업단지에 위치한 기업은 동종 업계와의 긴밀한 네트워크 형성과 함께, 부품 공급 및 유통에 있어 효율적인 관리가 가능하다.

인도 내에서 사업을 계획할 때, 이러한 지리적 요소를 면밀히 고려하는 것은 필요하며 각 지역의 경제적, 문화적, 인프라적 특성을 이해하고, 사업 목적에 부합하는 최적의 위치를 선택하는 것이 중요하다.

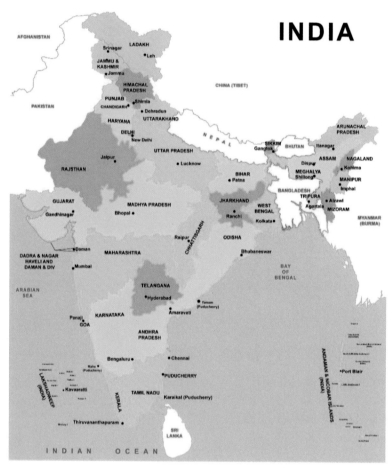

인도의 각 주

◈ 인프라 및 접근성

공장 위치 선정에 인프라 및 접근성도 중요한 고려 사항이다. 특히 인도는 아직 기본적인 인프라 구축이 되지 않은 지역이 많으므로 인프라 및 접근성을 확인하는 것이 필요하다.

사업 장소를 선택할 때는 교통, 전력, 수도, 인터넷 연결과 같은 기본적인 인프라의 완비 여부를 확인하는 것이 좋다. 이들 인프라가 잘 갖추어져 있지 않으면, 사업 운영에 큰 차질을 빚을 수 있다. 예를 들어, 불안정한 전력 공급은 생산 지연을 초래할 수 있고, 느린 인터넷 네트워크는 통신 문제를 일으켜 비즈니스 커뮤니케이션에 장애를 야기할 수 있다.

원자재 공급처와 시장까지의 거리와 연결성도 중요한 고려 요소다. 특히 인도의 경우, 지역에 따라 물류 및 교통 인프라의 질이 크게 다르므로, 원활한 자재 공급과 제품 배송을 위해 이러한 요소를 면밀히 검토해야 한다. 산업단지 내에서는 일반적으로 이러한 인프라가 보다 잘 구축되어 있어, 자재 공급 및 제품 배송에 있어서의 효율성을 높일 수 있을 것이다.

또한 인도의 도로 사정이나 물류 시스템의 미비함은 사업 운영에 있어 큰 장애가 될 수 있다. 따라서 필요한 자재를 제 시간에 원활하게 공급받기 위해서는 물류 및 교통 인프라가 잘 발달한 지역을 선호하는 것이 바람직할 것이다. 이는 생산 일정의 지연을 방지하고, 전반적인 사업 운영의 효율성을 높이는 데 기여할 것이다.

◈ 법적 및 정책적 환경

적절한 위치 선정에 있어서 지리적, 인프라 접근성 요소와 더불어 법적 및 정책적 환경도 필요한 고려 사항이다. 인도는 주마다 상이한 법규와 정책이 존재하며, 이는 사업 운영에 중대한 영향을 미칠 수 있다.

인도는 다양한 주마다 세금 정책, 노동 법규, 산업 정책 등이 다르다. 제조업에 대한 세제 혜택을 제공하는 주가 있으며, IT 및 서비스 산업에 더 유리한 정책을 제공하는 주가 있다. 이러한 지역별 차이는 사업의 수익성과 지속 가능성에 직접적인 영향을 끼친다. 또한 사업 계획에 적합한 주정부의 정책을 조사하는 것이 좋다. 예를 들어, 제품을 수출

할 계획이 있다면 수출 지원 정책이 강한 주를 선호할 수 있다. 반면, 현지 시장에 집중할 경우, 내수 시장을 장려하는 정책을 가진 주가 더 적합할 수 있다.

인베스트 인디아 웹사이트

지역별 정책과 지원에 대해 자세한 내용을 알고 싶다면 인도정부에서 해외 기업 유치를 위해 세워진 인베스트 인디아의 웹사이트(https://www.investindia.gov.in/)에 방문하면 많은 인도 정책과 지역별 특성에 대해 볼 수 있다. 주별 인센티브 정책, 인도 산업별 정보 등 많은 정보를 확인할 수 있다.

◆ 최저임금 기준의 차이

주마다 최저임금 기준이 다르기 때문에, 이를 고려하여 위치를 선정하는 것도 중요하다. 예를 들어, 필자의 공장이 위치한 라자스탄 주는 인근 주인 하리야나 주에 비해 최저임금이 낮게 형성되어 있다. 이러한 인건비는 사업 운영 비용에서 큰 부분을 차지하기 때문에, 이를 효과적으로 관리하는 것이 사업의 수익성에 크게 기여할 것이다.

◆ 문화적 요인

인도에서 적절한 위치 선정에서 문화적 요인의 이해와 존중도 간과해서는 안 된다. 이는 현지 직원 채용 및 관리, 마케팅 전략 수립, 그리고 고객과의 관계 형성에 깊은 영향을 미친다.

인도는 광범위한 지역적 다양성을 가진 나라로, 각 지역마다 문화적, 종교적 색채와 성향이 다르다. 전국적으로 힌두교가 우세하지만, 지역에 따라 음식, 생활 방식, 심지어 종교적 관행에도 차이가 있다. 예를 들어, 북인도에서는 대부분 베지테리안(채식) 식습관이 일반적이지만, 반면 남인도에서는 육식에 보다 관대한 경향이 있다. 또한, 특정 지역에서는 무슬림 인구가 더 많아 이에 따른 생활 문화나 관습이 다를 수 있다.

특히 직원 채용 시 지역의 문화적 배경을 이해하고 존중하는 것은 직원들의 만족도와 사업장의 조화로운 운영에 도움을 줄 것이다. 마케팅 전략을 수립할 때는 현지의 문화적 특성과 소비자의 선호도를 고려하여 보다 효과적인 접근 방식을 개발할 수 있다.

◆ 현지 전문 기관 활용

인도에서 적절한 사업장을 선정하기 위해서는 해당 지역의 특성, 인프라, 문화 및 산업적 환경에 대한 깊은 이해가 필요하나 인도에 처음 방문한 경우, 현지 시장의 복잡성을 직접 파악하는 것이 어려울 것이다. 이러한 상황에서는 코트라(KOTRA, 대한무역투자진흥공사)나 한국무역협회 (KITA)와 같은 현지에 상주하는 전문 기관의 도움을 받는 것이 나을 것이다. 이러한 기관들은 현지 시장과 산업에 대한 심도 있는 전문 지식과 경험을 바탕으로, 다양한 정보와 실질적인 조언을 제공할 수 있다. 지역 후보와 산업 분야 등의 구체적인 정보를 함께 문의하면, 원하는 답을 더 쉽게 얻을 수 있을 것이다. 이러한 전문 기관들은 보다 정확한 정보와 조언을 제공하며, 현지 사정에 맞는 최적의 위치 선정을 도와줄 수 있을 것이다.

코트라 뉴델리 무역관 웹사이트

◆ 인도의 환경 조건

현재 인도는 대기오염 및 환경 오염 문제로 어려움을 겪고 있으며, 이에 대응하기 위한 정부의 활발한 규제와 정책이 시행되고 있다. 그 결과로, 이전에는 존재하지 않았던 여러 환경 관련 규정들이 생겨나고, 디젤 사용 제한과 친환경 정책이 빠르게 시행되고 있다. 이런 변화를 고려하여 새로운 설비나 시설을 설치할 때는 미래의 친환경 규제나 규정을 예상하여 준비하면서 설치하는 것을 추천한다.

특히, 인도 정부의 친환경 정책 및 규제 동향은 기업의 설비 및 시설 계획에 큰 영향을 미친다. 예를 들어, 과거에는 대부분의 공장이 정전에 대비해 디젤 발전기를 설치하는 것이 일반적이지만 최근에는 인도 정부가 대기오염 문제에 대응하여 디젤 발전기 사용을 제한하고 있으며, 디젤 발전기를 친환경적인 가스 발전기 혹은 가스복합 발전 시스템으로 전환하도록 권장하고 있다. 이러한 정책 변화는 기존 시설을 운영하는 기업들에게 추가적인 투자와 비용 부담을 요구하고 있다.

따라서 인도에서 공장을 시작하거나 확장할 계획이 있는

기업은 이러한 환경 규제의 변화를 세심히 주시하고 미래 지향적인 계획을 세워야 한다. 친환경 기술과 장비에 대한 투자는 단순히 규제 준수를 넘어서 장기적인 공장 운영 지속 가능성을 보장하는 중요한 전략이 될 수 있다. 또한, 환경 규제 준수는 기업의 사회적 책임을 다하는 것으로도 평가되며, 이는 현지 시장에서의 기업 이미지와 브랜드 가치를 높이는 데 기여할 수 있다.

◆ 토지 확보 및 필요한 허가증 취득

인도에서 공장 설립을 위해 토지를 확보하고 필요한 허가증을 취득하는 과정은 꼼꼼한 준비와 계획이 필요하다.

첫째, 토지 거래 시 진위 여부를 꼼꼼히 확인해야 한다. 인도에서는 가짜 토지 주인이 나타나서 주인 행세를 하며 계약금을 가져가는 사례가 있다. 공과금 영수증, 세금 납부 영수증 확인이나 부동산 전문 변호사와 상담하거나, 해당 지역 등기소에 방문하여 토지 주인을 확인하는 방법을 사용하는 것이 좋다.

둘째, 인도의 관공서 업무에 대비해야 한다. 인도의 관공서 업무는 느리고 관료주의적인 태도 때문에 많은 스트레스를 받을 수 있다. 지방 관공서 방문 시, 에어컨이 없는 경우가 많고, 기다리는 사람들로 가득 차 있을 수 있으니 마음의 준비가 필요하다. 때로는 급행료를 요구할 수도 있으며 외국인이라면 개인적인 이득을 바라고 접근하는 경우도 있다. 필자의 경우, 담당 공무원이 필자의 회사에 대해 자세히 물어본 후 본인 아들의 취업 청탁하는 경우도 있었다. 그래서 현지 전문 대행사나 전문가와 함께 방문하는 것을 추천한다.

인도의 지역 관공서- 아직 전산화 되지 않은 곳이 많다

셋째, 허가증 취득 시 일정을 잘 관리해야 한다. 허가증 취득 과정은 시간이 많이 소요되기 때문에, 일정을 잘 관리

하여 공장 건설과 설비 조달, 인력 채용 등 다른 프로세스에 영향을 주지 않도록 주의해야 한다. 허가증 취득과 관련된 모든 서류와 절차를 미리 파악하고 준비하여 시간을 절약할 수 있을 것이다.

◆ 인도 법인 설립

인도에서 사업을 시작하려는 개인이나 기업이 첫번째 주요 결정 중 하나는 적합한 법인 형태의 선택이다. 인도에서는 다양한 사업체 형태가 있으며, 각각의 형태는 특정한 법적, 재정적 요건과 책임을 가지고 있다. 이러한 선택은 사업의 전략, 운영, 세금 부담 및 법적 책임에 중대한 영향을 미칠 수 있기 때문에, 사업의 목적과 운영 방식을 고려하여 신중하게 결정해야 한다.

1. Private Limited (비공개 유한 책임회사)

Private Limited 회사는 인도에서 가장 일반적으로 설립되는 사업체 형태이다. 이 형태의 회사는 최소 2명의 이사를 둘 수 있다. 또한, 인도에서 182일 이상 상주하는 이사한 명이 필요하다. 대부분의 외국기업들이 안전하게 회사를 경영하기 위해 이 방식의 회사 설립을 선호한다.

2. Branch Office (지사)

지사는 이미 해외에 본사를 둔 회사가 인도에서 사업을 수행할 때 선택하는 형태이다. 이는 본사의 활동을 지원하는 목적으로 설립되며, 본사의 주요 활동과 연관된 특정 사업만 수행할 수 있다.

3. Limited Liability Partnership (유한 책임 파트너쉽)

제한적 책임 동업(또는 LLP)은 파트너들 사이에 책임과 손실의 한도가 정해진 동업 형태이다. 파트너들 간의 책임은 동업 계약에 따라 달라지며, 각 파트너는 법률적으로 자신의 책임 부분만을 부담하게 된다.

4. Liasion Office (연락사무소)

연락사무소는 해외 본사와 인도 사이의 커뮤니케이션을 돕는 역할을 한다. 이 형태의 사무소는 인도에서 직접 사업 활동을 수행하지 않는다.

5. Project Office (프로젝트 오피스)

프로젝트 오피스는 특정 프로젝트를 수행하는 목적으로 설립되며, 프로젝트가 완료되면 이 사무소는 폐쇄된다.

이러한 다양한 법인 형태 중에서 선택하는 것은 사업의 성격, 규모, 장기 목표 및 인도 시장에서의 전략에 따라 달라진다. 각 법인 형태는 독특한 장점과 제약을 가지고 있으며, 이는 사업에 많은 영향을 끼칠 것이다.

따라서, 인도에서 사업을 시작하기 전에 각 옵션의 법적 요건, 세금 구조, 운영 전략, 그리고 장기적인 사업 목표와의 일치 여부를 신중히 검토해야 한다. 이 과정은 기업이 인도 시장에서의 장기적인 성공과 지속 가능한 성장을 달성하는 데 중요한 기초가 될 것이다.

◆ 컨설팅 업체 선정

인도에서 사업을 시작하기 위해서는 법인 설립부터 시작하고 공장설립은 토지사용허가, 환경허가, 화재안전승인, 공장 라이선스 등 여러 규정과 절차가 있다. 각종 규정과 절차를 이해하고 지키는 것은 매우 중요한 작업이며, 이를 위해 적절한 컨설팅 업체를 선택하는 것이 중요하다. 이러한 컨설팅 서비스는 사업의 초기 단계에서 발생할 수 있는 여러 법적, 행정적 복잡성을 해결하고, 사업 운영의 효율성을 높이는 데 도움을 준다.

보통 회계사 사무실(회계법인), 법률 전문 사무실, 종합 컨설팅 업체 등 여러 종류의 컨설팅 업체가 있으며, 이 중 회계사, 변호사 등 기업 운영 및 회계, 세무 관리에 필요한 전문가들을 모두 갖춘 업체도 있다. 각 업체마다 장단점이 있으니 여러 업체와 상의하고 비교 후 업체를 선정하는 것이 좋다. 업체 규모도 소규모 업체부터 중대형 업체가 있으며, 이때 고려해야 할 점은 다음과 같다.

1. 인도 로컬 업체

인도 현지인만으로 구성된 로컬 컨설팅 업체가 있다. 로컬업체는 인도 현지인들이 이용하므로 작은 업체부터 대규모 업체까지 매우 많은 곳에 분포되어 있으며 비용도 상대적으로 저렴하다. 하지만 규정대로 업무처리를 하지 않거나 느린 업무 처리속도, 의사소통의 문제등이 생길 수 있다.

2. 한국 업체

한국 업체는 의사소통의 편리함과 한국인의 업무 스타일에 적합한 서비스를 제공한다. 이들 업체는 인도 시장에 대한 이해와 한국 기업의 요구를 잘 조율할 수 있는 능력을 갖추고 있다. 대신 이러한 서비스는 비용이 높을 수 있으므로, 예산 계획을 고려하여 선택해야 한다.

3. 글로벌 업체

글로벌 업체는 광범위한 시장 지식, 다양한 전문가 네트워크, 전문적인 경험을 제공한다. 이들은 국제적인 비즈니스 환경에 적합한 표준을 제공하며, 효과적인 업무 처리를 보장한다. 그러나 이들의 서비스 비용은 상당히 높은 편이므로, 비용 대비 효과를 고려한 신중한 결정이 요구된다.

따라서 각 업체의 장단점을 고려하여, 본인의 사업 상황에 가장 적합한 컨설팅 업체를 선정하는 것이 좋다. 컨설팅 업체를 선정할 때는 여러 곳의 견적을 받아보고, 가능하다면 해당 사무실에 직접 방문해 보는 것이 좋다. 또한 많은 고객사를 가진 업체에서는 실제로 얼마나 많은 직원이 업무를 처리하고 있는지, 그리고 자사의 업무에 얼마나 성의 있게 신경을 쓸 수 있는지도 확인하는 것이 중요하다.

컨설턴트를 이용하여 법인설립을 맡길 때 주의할 부분이 있다. 정부에 등록할 법인 연락처를 직접 확인 가능한 연락처로 설정해야 한다. 컨설턴트에서 업무의 용이성을 위해 자신들의 연락처를 등록하면 정작 중요한 공지나 알림을 내가 직접 확인하지 못할 수 있다. 실제로 정부에서 세금관련 조사 요청이나 특정 알림 메일이 오는 경우가 있는데 법인 연락처를 컨설팅 업체로 등록되어 있으나 컨설팅 업체에서는 내용을 알리지 않고 책임을 회피해 피해를 입은 사례도 있으니 주의할 필요가 있다.

◆ 설계 및 건축 사무실

인도에서 설계 및 건축 사무실을 선정할 때 몇 가지 확인해야 할 부분이 있다. 먼저, 해당 사무실이 필요한 자격과 라이선스, 그리고 인증을 갖추고 있는지 철저히 확인하는 것이 중요하다. 이러한 검증 과정은 사무실의 전문성과 신뢰도를 평가하는 기본적인 단계이다. 또한, 지역별로 상이한 건축 규정에 대해 충분한 파악하고 있는지도 확인해야 한다.

각 지역의 법적 요구 사항을 제대로 숙지하지 않으면, 프로젝트 중에 심각한 법적 문제가 발생할 수 있다.

계약 조건에 대한 명확한 이해와 검토도 필요하다. 프로젝트의 법적, 금융적 책임을 명시하는 계약서는 프로젝트 전반에 걸친 의무와 권리를 명확히 하기 때문에 꼼꼼히 검토해야 한다.

또한 프로젝트 완료 후에도 필요한 건축 허가나 공장 라이선스 취득을 위한 지원이 필요하니 장기적인 파트너십이 가능한지 확인해야 한다.

건축 사무실의 과거 프로젝트 검토와 의사소통의 투명성 역시 중요하다. 과거 프로젝트를 통해 사무실의 실적과 신뢰성을 평가할 수 있으며, 원활한 의사소통은 프로젝트의 성공에 큰 영향을 미친다. 추가로, 건축 사무실의 현지 경험과 인프라에 대한 이해도도 고려해야 한다. 인도의 다양한 환경과 조건에 맞춰 설계 및 건축을 수행할 수 있는 능력은 프로젝트의 효율성과 성공에 중요한 요소가 된다. 또한, 최신 기술과 혁신적인 솔루션을 활용할 수 있는 능력도 중요한 평가 기준이 될 수 있다.

비용 관리 역시 중요한 고려 사항이다. 예산 범위 내에서 프로젝트를 완료할 수 있는 능력을 평가해야 하며, 사무실의 비용 산정 방식과 과거 프로젝트에서의 예산 준수 기록을 확인하는 것이 필요하다. 건축 사무실이 현지 공급업체, 인허가 기관, 그리고 기타 중요한 관계자 들과의 네트워크를 가지고 있는지도 중요한 요소다. 현지 네트워크는 프로젝트의 원활한 진행에 큰 도움이 될 것이다.

지속 가능성과 환경을 고려하는 것도 중요하다. 환경 친화적인 설계와 지속 가능한 건축 방법을 제공할 수 있는 사무실을 선택하는 것은 장기적인 비용 절감과 환경 보호에 기여할 것이다. 온라인 리뷰나 주변 인을 통한 고객 후기와 평판을 통해 사무실의 신뢰성과 고객 만족도를 평가하는 것도 중요하다.

마지막으로, 프로젝트 완료 후에도 지속적인 기술 지원과 유지 관리 서비스를 제공할 수 있는 사무실을 선택하는 것이 중요하다. 이는 공장의 장기적인 운영에 큰 영향을 미칠 것이다.

이러한 요소들을 종합적으로 고려하면, 인도에서의 설계 및 건축 사무실을 성공적으로 선정하는 데 도움이 될 것이다. 이를 통해 프로젝트의 성공 가능성을 높이고, 예상치 못한 문제를 최소화할 수 있을 것이다.

제3장 공장 건설

◆ 인도 공장 설계 및 레이아웃

인도에서 공장을 설계하고 레이아웃을 구성하는 것은 상당한 신중함이 필요한 작업이다. 이 장에서는 인도에서 공장을 설계하고 레이아웃을 구성할 때 고려해야 할 중요한 요소들을 살펴보겠다.

1. 환경 및 기후 조건

인도는 지역마다 기후 조건이 상이하며, 이는 공장 설계에 큰 영향을 준다. 인도 북부 산악지대는 추울 수 있으며, 남부와 중앙은 대체로 덥다. 인도는 대체로 년 중 절반은 기온이 높으며 이러한 기후 조건은 공장의 건축 재료와 디자인에 큰 영향을 미친다. 따라서, 더운 여름에 외벽이나 옥상의 방수 자재가 손상되지 않도록 열에 대한 보호 조치가 필요하다. 또한, 인도 우기 동안에는 강한 비와 바람에 대비한 방수시설 및 튼튼한 창틀도 고려해야 한다. 특히 인도는 배수 시설이 원활하지 않아 우기 때 지속적인 비가 내리면 잠기는 곳도 많아 공장 설계 시 주의해야 한다.

우기 때 도로가 잠긴 모습

2. 인프라

인도의 지역에 따라 전기, 물, 교통 등의 기본 인프라의 상태가 다르다. 일부 지역에서는 전력 공급이 불안정하거나 물 공급이 제한적일 수 있다. 이런 환경을 고려하여 충분한 발전기나 물탱크를 설치하는 등의 계획이 필요하며 잦은 정전에 대비한 전력 안정장치도 필요할 수 있다.

3. 물탱크 크기

인도의 많은 지역에서 수도 공급은 지역 정부에 의해 이루어지지만, 이 공급이 항상 일정하거나 24시간 지속되지 않는 경우가 많다. 예를 들어 라자스탄 지역 같은 경우, 아침과 저녁에만 제한적으로 수도가 공급되고 있다. 물론 일부 지역에서는 지하수를 활용하는 경우도 있지만, 이는 정부의 허가가 필요한 사항이므로 조심스럽게 접근해야 한다. 또한, 수도 공급이 전혀 이루어지지 않는 날도 있어, 이러한 상황에 대비하는 것이 필요하다. 따라서 공장 설계 시 물탱크를 가능한 한 여유 있게 만들어 물을 충분히 저장할 수 있도록 하는 것이 중요하다. 이렇게 하면 수도 공급이 불안정할 때도 공장 운영에 차질이 덜 생기며, 물 부족으로 인한 문제를 최소화할 수 있다. 물탱크의 크기와 저장 능력은 공장의 효율적인 운영에 직접적인 영향을 미치므로, 이 부분에 대한 충분한 고려와 계획이 필요하다.

4. 층고

공장 설계 시 천장의 높이를 결정하는 것은 인도와 같은 더운 기후에서 고려해야 할 요소 중 하나이다. 인도의 가정집처럼 공장의 천장도 상대적으로 높게 설계하는 것이 바람직하다. 높은 천장은 열 분산에 도움을 주며, 내부 온도를 조절하는 데 도움이 된다. 이는 특히 제조 공정에서 발생할 수 있는 열을 효과적으로 관리하고, 작업 환경을 더 쾌적하게 유지하는 데 중요하다.

또한, 천장의 높이는 천장 팬과 환기 시스템의 효율성에도 영향을 미친다. 높은 천장은 공기 순환을 원활하게 하여, 실내 공기의 질을 개선하고, 냉방 비용을 절감하는 데 기여할 수 있다. 특히, 대규모 기계나 장비를 설치해야 하는 제조 공장의 경우, 충분한 공간과 공기 흐름을 확보하는 것이 중요하다. 이러한 점을 고려하여, 공장 설계 시 천장 높이를 충분히 확보하고, 적절한 환기 및 냉방 시스템을 구축하는 것이 공장 운영의 효율성과 작업자의 안전 및 편안함을 위해 고려해야 할 부분이다.

5. 현지 규정 준수

인도 각 주와 지역에는 건설, 안전, 환경 등에 대한 다양한 규정과 표준이 있으며 설계 및 건축 과정에서 이러한 규정을 준수하는 것이 중요하다. 또한 인도에서는 환경 친화적인 건축에 대한 요구가 높아지고 있으니 에너지 효율적인 설계, 재생 가능한 에너지 소스 활용, 폐기물 관리 등을 잘 확인하는 것이 좋다.

6. 생산 공정 효율성

생산 공정의 효율성을 극대화하기 위한 레이아웃 설계는 중요하다. 이를 위해 원자재의 입고부터 생산, 포장, 출고에 이르기까지 각 단계의 물류 흐름을 최적화하는 것이 중요하다. 이는 시간과 비용을 절감하며, 전반적인 생산 효율성을 향상시킬 것이다.

7. 노동 문화 이해

인도의 노동 문화는 한국과는 많이 다르다. 휴식 시간, 근무 시간, 교육 및 훈련 등에 대한 고려가 필요하다. 특히, 인도의 노동자들은 휴식 시간에 짜이(인도차)를 즐기는 것을 좋아하므로, 이를 위한 휴식 공간을 제공하는 것이 좋다. 또한 인도는 다양한 종교가 공존하는 나라이므로, 그에 따른 행사에 대한 고려도 필요할 것이다.

8. 복지시설

특정 규모 이상의 공장에서는 유아시설이나 의무실 등을 의무적으로 설치해야 한다. 이러한 시설들이 공장 내에 어디에 위치해야 할지, 어떤 서비스를 제공해야 하는지 등에 대한 고려도 필요하다.

9. 확장성 고려

비즈니스의 성장과 시장의 변화에 따라 공장의 확장이 필요할 수 있다. 따라서 초기 설계 단계에서 확장 가능성을 고려하는 것이 중요하며, 이는 미래에 대한 추가적인 투자 비용을 줄일 수 있다.

공장의 구체적인 설계와 레이아웃은 생산 아이템에 따라 달라지겠지만, 위에서 다룬 요소들은 인도에서 공장을 설립하고 운영할 때 고려해야 할 사항들이다. 이런 요소들을 고려하고 준비한다면, 인도에서의 공장 설립 및 운영은 보다 원활하게 진행될 것이다.

◈ 적절한 건설 자재 선택 및 계약자 고용

1. 건설 자재의 품질과 비용, 효율성

공장 건설에 사용될 자재는 내구성, 안전성, 비용 효율성을 고려하여 선택해야 한다. 인도의 다양한 기후 조건에 적합한 자재를 선택하는 것이 중요하며, 이는 장기적으로 공장의 유지보수 비용과 운영 효율성에 영향을 미친다. 예를 들어, 고온 다습한 지역에서는 부식에 강한 자재가 필요하며, 냉각 및 환기 시스템에도 특별한 주의가 필요하다. 특히 인도 여름에는 외부 온도가 40도가 넘는 지역이 많아 열 전달을 최소화하는 외벽 자재를 선택하는 것이 매우 중요하다.

또한 여름철 햇볕이 매우 강하니 옥상 마감이나 방수 재질을 선택할 때 내구성이 강한 것을 선택하는 것을 추천한다.

일부 사막 지역에서는 심한 모래바람이 불 때 창틀이 좋지 않으면 모래가 실내로 유입될 수 있으니, 모래 유입을 방지하기 위해 창틀 또한 좋은 자재를 선택하는 것도 중요하다.

PVC타입 창틀

2. 현지 자재 공급자와의 협력

현지 자재 공급자와의 협력은 자재 조달의 시간과 비용을 줄이는 데 도움이 된다. 특히 도로사정이 좋지 않는 인도에서는 가능한 공장건설 지역과 가까운 곳의 공급처를 찾는 것이 좋다. 현지 공급자는 해당 지역의 건설 시장과 관련 규제에 대한 풍부한 지식을 가지고 있으며, 이는 건설 과정에서 예상치 못한 문제를 예방하는 데 유용하다.

3. 계약자의 선정

경험 많고 신뢰할 수 있는 계약자를 선정하는 것이 좋다. 계약자의 과거 프로젝트, 평판, 전문성, 그리고 프로젝트 관리 능력은 필히 확인해야 한다. 또한, 계약자가 해당 지역의 건축 규정과 표준을 준수하는지 확인하는 것도 중요하다. 계약자와의 계약 시에는 모든 조건들이 명확하게 문서화되어야 하며, 프로젝트의 목표, 일정, 비용, 품질 기준에 대해 최대한 상세히 기록해 놓아야 한다. 이는 공장 건설 과정에서 일정이나 자재사용, 품질 문제로 매우 빈번하게 발생할 수 있는 오해와 분쟁을 최소화하는 데 도움이 될 것이다.

공장 건설 방식에는 크게 두 가지가 있다. 하나는 턴키(Turn-key) 설계시공 일괄 발주 방식이며, 다른 하나는 직접 시공사를 선정하여 매뉴얼로 진행하는 방법이다.

턴키(Turn-key) 방식은 전문적인 건설업체가 설계부터 건축 완공까지 전 과정을 맡아주는 방식이다. 즉, 주문자는 그저 '키를 돌릴' 준비만 하면 되는 상황이기 때문에 이를 턴키 방식이라 칭한다. 이 방식의 주요 특징은 계획, 설계, 시공, 그리고 운영 및 관리까지 모든 과정이 한 업체의 관리 아래서 진행된다는 점이다. 턴키 방식의 주요 이점은 설계자와 시공자가 상호 연계하여 일괄적으로 시행이 가능하다는 것이다. 따라서 일괄 책임이 부여되어 관리가 최소화되며, 전체 사업기간이 단축된다는 장점이 있다. 하지만 이 방식의 한계점은 발주자의 설계 참여도가 낮고, 품질관리가 제한적일 수 있다는 점이다.

반면에, 설계와 시공을 분할하여 발주하는 방식은, 상세한 공사비용을 산출할 수 있으며, 직접 관리를 통해 품질 관리를 할 수 있다는 장점이 있다. 그러나 이 방식에서는 설계자와 시공자 간에 이해관계가 상충될 수 있고 전체 사업기간이 길어질 수 있는 단점이 존재한다. 이 두 가지 방식은 각각 장단점이 있으므로, 신중한 판단 후 결정하는 것이 좋다.

4. 품질 관리와 감독

공장 건설 과정에서 지속적인 품질 관리와 감독은 매우 중요하다. 인도에서는 비 숙련공이 많아 매뉴얼대로 작업을 수행하지 않는 경우가 많으므로, 이러한 부분에 대한 관리가 필요하다.

시공 과정에서는 자주 방문하여 현장을 확인하는 것이 필요하다. 인도에서는 지속적인 품질 관리와 일정 관리를 하지 않으면 적합한 자재 사용, 약속된 일정, 품질은 포기하는 것이 좋을 것이다.

공장 건설 중 사진

5. 안전 및 법적 준수

공장 건설 시 안전은 중요한 고려 사항 중 하나다. 인도에서의 공사현장에서는 안전 관리가 제대로 이루어지지 않는 경우가 많으므로, 이 부분에 대한 신경을 써야 한다. 대부분의 건설 노동자는 공사 현장 주변에 가족과 함께 임시

천막 등으로 거주하므로 어린 아이들이 공사 현장에서 위험하게 노출되어 있는 경우가 많다. 사전에 안전 관리에 대한 계획을 세워 미연의 사고를 방지하는 것이 중요하다.

◆ 건설 과정에서의 도전과 극복

1. 경비 직원의 중요성과 보안 업체 선택

인도에서 자체건물을 소유하거나 운영하는 경우 경비 직원의 중요성은 더욱 부각된다. 특히 치안 및 보안 문제를 고려할 때 정문에 경비 직원이 배치되어 있어야 한다는 것이 일반적인 생각이다.

가끔 주변에서 사업장에서 자재나 물품이 한밤중에 빼돌려지는 사례를 듣게 된다. 이는 내부 직원이 경비와 공모하여 빼돌리는 경우도 있으며, 외부 사람이 몰래 들어와서 물품을 훔쳐 나가는 경우도 있다. 이에 따라 경비 업무 및 직원 관리는 매우 중요하다.

인도의 대부분의 공장이나 빌딩은 경비 직원을 배치하고 있다. 경비 직원을 배치할 때, 고용주가 직접 채용하거나 보안 업체를 통해 파견 직원을 이용하는 두 가지 방법이 있다.

인도에서는 근무 시간 준수 및 책임감이 기대에 못 미치는 경우가 종종 있어, 결원 시 대체 직원을 쉽게 확보할 수 있는 보안 업체를 통해 경비 직원을 배치하는 것이 일반적이다.

보안 업체를 이용할 때는 해당 업체의 규모, 직원 관리 시스템 등을 신중하게 확인하는 것이 중요하다. 인도에는 수많은 보안 업체가 있지만, 직원 교육을 제대로 하지 않는 부실한 업체도 존재한다. 따라서, 업체 선택 시 이러한 요소를 꼼꼼히 확인하고 결정해야 한다.

2. 건설 지연 문제와 그 해결 방법

인도에서 사업을 진행할 때, 특히 건설과 같은 대규모 프로젝트에서는 계획대로 일이 진행되지 않는 경우가 많다. 지연되는 이유는 다양하지만, 대체로 약속한 시간에 오지 않거나, 약속한 기간 내에 일을 완료하지 않는 경우가 많다. 변명의 이유로는 자재 부족, 날씨 문제, 건강 문제 등이다.

이러한 상황을 대비하기 위한 방법 중 하나는 가능한 일어날 수 있는 사항과 대비책들을 정리한 내용을 토대로 계약서를 작성하고, 이행하지 않을 경우의 책임 여부를 명확히 하는 것이다. 이렇게 함으로써 상대방에게 계약 이행의 중요성을 인식시키고, 필요한 경우 합당한 조치를 취할 수 있는 근거를 마련할 수 있다.

특히, 대금의 지급은 해당 작업이 완료된 후에 하는 것이 좋다. 미리 지불하게 되면, 진행이 지체되더라도 해결 방안을 찾기 어렵기 때문이다. 이는 범용적인 방법은 아니지만, 악덕 업자를 만날 경우에는 완료 시 대금을 지불하되, 지체 시 페널티를 부과하는 조항을 계약서에 포함시키는 것이 한 방법일 수 있다. 이는 작업의 효과적인 진행을 독려하고, 사업자로 서의 권리를 보호하는 데 도움이 될 것이다.

인부가 직접 벽돌을 나르고 있는 모습

3. 내부 전기 시공

건물 내 전기 설비의 시공은 전문 전기 업체에게 맡기는 것이 일반적이다. 그럼에도 설비가 제대로 설치되었는지, 특히 전선이 규격에 맞게 사용되었는지, 전선이 적절한 장소에 잘 배치되었는지 등을 확인하는 것이 매우 중요하다.

전기 판넬 공사

전선의 굵기가 전기 사용량에 맞지 않거나, 설계대로 전선이 배치되지 않은 경우가 있다. 이러한 문제가 발생하면 안전 문제를 일으킬 수 있기 때문에, 꼼꼼한 검사와 확인이 필요하다.

전기 설비는 건물의 중요한 기능 중 하나이며, 그 안전성은 건물 사용자의 생명과 직접적으로 연결되어 있다. 따라서 전기 시공에 있어서는 특별한 주의가 필요하며, 전문가의 도움을 받아 꼼꼼하게 점검하고 관리해야 한다.

4. 날씨 문제

인도는 매우 더운 나라로, 델리 근처는 3월부터 10월까지 대부분 덥다. 특히 기온이 40도를 넘는 경우가 많아 노동자들이 매우 힘든 상황에 처하게 된다. 이로 인해 낮에는 작업 속도가 느려지고 집중력이 저하되어 안전사고가 발생할 가능성이 높아진다. 이러한 문제를 극복하기 위해서는 여름철에 노동자들에게 시원한 음료와 식사를 제공하여 체력을 보충하고 작업 효율을 높이는 것이 필요할 것이다.

또한, 여름철에는 전력 사용이 급증하여 정전이 자주 발생할 수 있다. 따라서 중요한 작업이 있을 때는 발전기를 대여하여 비상 시에 대비하는 것이 좋다. 발전기를 통해 안정적인 전력 공급을 유지하면 작업의 연속성을 보장할 수 있다.

여름철이 끝나면 우기가 시작된다. 우기에는 자주 비가 내려 작업이 중단될 수 있으며, 건설 자재 공급에도 차질이 생길 수 있다. 따라서 우기에 대비한 계획도 필요하다. 예를 들어, 작업 스케줄을 조정하여 우기 전후로 주요 작업을 완료하거나, 우기 동안 실내 작업을 집중적으로 진행하는 방안을 고려할 수 있다. 또한, 자재 공급이 원활하게 이루어질 수 있도록 사전에 충분한 재고를 확보하는 것도 중요한 대비책이다.

더불어, 우기 동안의 홍수나 배수 문제에 대비해 공장 부지의 배수 시스템을 철저히 점검하고, 필요한 경우 개선 작업을 실시하는 것이 필요하다. 우기의 폭우는 건설 현장에 큰 영향을 미칠 수 있으므로, 이를 최소화할 수 있는 방안을 마련해야 한다.

5. 매뉴얼 미숙지

공장 건설 시 각종 건설 규정이나 매뉴얼을 노동자나 작업 관리자 등이 숙지하지 않고 이를 따르지 않는 문제들이 발생할 수 있다.

예를 들어, 시멘트 배합 시 물과 모래, 자갈 등의 비율을 매뉴얼대로 하지 않는 경우가 많다. 또한, 기둥 작업 시 철근 사용이나 매듭을 제대로 하지 않는 경우도 빈번하다.

이를 예방하고 해결하기 위해서는 몇 가지 중요한 조치가 필요하다. 첫째, 작업 관리자에 대한 철저한 교육이 필요하다. 모든 작업 관리자는 매뉴얼을 완벽하게 이해하고, 이를 정확히 따르는 방법을 숙지해야 한다. 교육 시간을 통해 매뉴얼의 중요성과 각 항목을 정확히 준수하는 방법을 강조해야 한다.

둘째, 추가 품질 관리자를 두어 작업을 크로스 체크하도록 해야 한다. 품질 관리자는 현장에서 매뉴얼이 제대로 적용되고 있는지 지속적으로 확인하고, 문제 발생 시 즉각적으로 수정 조치를 취할 수 있어야 한다. 이를 통해 작업자의 실수를 최소화하고, 건설 품질을 보장할 수 있다.

셋째, 직접 현장을 방문하여 확인하고, 매뉴얼 준수를 강력히 요구하는 것이 중요하다. 현장 방문을 통해 실제 작업 상황을 점검하고, 매뉴얼을 따르지 않는 부분에 대해 즉각적인 피드백을 제공해야 한다. 단호하고 명확하게 매뉴얼 준수를 강조함으로써, 작업자들이 매뉴얼을 무시하는 일이 없도록 해야 한다.

마지막으로, 매뉴얼 준수 여부를 정기적으로 평가하고, 이에 대한 보상과 제재를 명확히 해야 한다. 매뉴얼을 잘 준수하는 작업자나 관리자는 보상을 받고, 그렇지 않은 경우에는 적절한 제재를 통해 책임을 묻는 것이 필요하다. 이를 통해 매뉴얼 준수가 자연스럽게 문화로 자리 잡을 수 있도록 한다.

이와 같이, 매뉴얼 미숙지로 인한 문제를 예방하고, 건설 품질을 보장하기 위해서는 철저한 교육과 관리, 그리고 단호한 현장 점검이 필수적이다.

6. 뜻밖의 손님 - 히즈라스(Hijras)

인도에서는 특별한 행사나 축하 이벤트가 있을 때 히즈라스(Hijras)라고 알려진 트랜스젠더 커뮤니티가 축복을 주기 위해 찾아올 수 있다. 그들은 결혼식, 아이의 탄생 등의 행사뿐 아니라 신규 사업장이나 공장의 개업 등에 참석하여 축복을 제공하며, 이를 대가로 일정한 금액을 요청할 수 있다. 이런 풍습은 점차 사라지는 추세이지만, 일부 지역에서는 여전히 볼 수 있다.

히즈라스가 방문했을 때는 그들의 문화와 관습을 존중하고 적절하게 대응하는 것이 중요하다. 만약 그들의 요구가 부담스럽다면, 간결하고 공손하게 상황을 설명하고 요청을 거절할 수 있고 다른 대인은 공장 운영에 방해가 되지 않도록 미리 보안 요원 등을 통해 출입을 통제하는 것이다. 이렇게 하면 효과적으로 불필요한 간섭을 방지하면서도 존중과 인정을 유지할 수 있다.

7. "No problem"

인도 업체와 계약을 체결할 때는 세세한 사항까지 계약서에 명시하는 것이 중요하다. 가끔 인도인들은 특정 요청사항에 대해 "No problem"이라고 말하는 경우가 많은데, 이는 반드시 그들이 그 요구사항에 동의하거나 이행할 것임을 의미하지는 않다.

구두로만 이루어진 약속은 후에 문제가 발생했을 때 아무런 효력을 발휘하지 못할 수 있으므로, 모든 합의 사항은 반드시 문서로 남겨야 한다. 이렇게 하면 추후 문제가 발생했을 때 증거로 사용할 수 있으며, 또한 협상 과정에서 생길 수 있는 오해를 방지할 수 있다.

따라서, 요청한 내용이 모두 계약서에 정확하게 기재되어 있는지 확인해야 한다.

제4장 장비 조달 및 설치

◈ 적합한 기계 및 장비 찾기

공장의 설비 조달 및 설치 과정은 여러 중요한 측면을 고려해야 하는 복잡한 과제다.

우선 공장의 인프라 설비를 보자면, 큰 규모의 공장에서는 자체 전력 시스템을 갖추는 것이 필수적이다. 이를 위해 변압기, 발전기, 전기 캐비닛 시스템과 같은 중요한 설비들이 필요하며, 화재 경보 시스템, 조명, 콘센트, 상하수도 시스템 등의 설치도 고려해야 한다.

　공장 설비에서 가장 먼저 고려해야 할 것은 전력 시스템의 안정성과 효율성이다. 특히 정전이 잦고 전력 시스템이 불안정한 인도에서는 안정적 전력 시스템은 생산 과정의 연속성을 보장하고, 전력 중단으로 인한 잠재적 손실을 최소화하는 데 핵심적인 역할을 한다. 또한, 에너지 효율이 높은 설비를 선택함으로써 장기적인 비용 절감과 환경 보호에도 기여할 수 있다.

변압기 제조 공장

공장 설비 조달 시 품질과 안전성도 중요한 고려 사항이다. 특히, 화재 경보 시스템과 같은 안전 관련 설비는 최고 수준의 기준을 충족시키는 장비를 선택하는 것을 추천한다. 이는 공장의 안전을 보장하고, 장기적으로 작업자와 설비의 보호에 직접적으로 기여할 것이다.

설비와 자재를 선택할 때는 신뢰할 수 있는 공급업체와 제조업체를 선택하는 것도 중요하다. 공장 설비는 한번 설치하면 오랫동안 사용해야 하기 때문에 가능하면 신뢰성, 제품 품질, 사후 지원이 좋은, 고품질의 설비를 확보하는 것이 좋다.

제품마다 요구되는 기술적 특성이 다양하기 때문에, 각 장비의 기능과 성능을 면밀히 검토하는 것이 중요하다. 또한, 장비의 후속 서비스와 유지보수에 대한 확인도 중요하다. 장비 구매는 단순한 거래가 아니라, 장기적인 관계의 시작이다. 따라서, 구매하는 장비에 대한 정기적인 유지보수, 수리 서비스, 그리고 필요한 경우의 업그레이드 옵션을 고려해야 한다.

마지막으로, 선택한 장비가 인도의 환경 및 안전 규정을 준수하는지 확인하는 것은 필수적이다. 이는 법적 문제를 방지하고 작업장의 안전을 보장하는 데 중요하다. 이 과정을 통해, 생산의 효율성, 비용 관리, 품질 유지, 그리고 장기적인 사업 성공을 위한 견고한 기반을 마련할 수 있을 것이다.

◆ 업체 방문의 중요성

화물 엘리베이터나 컨베이어벨트와 같은 공장 설비 제작 업체를 선정할 때에는, 반드시 해당 공장을 직접 방문하여 보는 것을 권장한다. 가끔 외부에서 만나 그럴듯한 카탈로그를 보여주며 저렴한 가격을 내세우는 업체들이 있는데, 이러한 경우 높은 확률로 제품이 허름하고 저급한 외주 업체에 의해 제작될 가능성이 있다. 이는 품질이 저하될 뿐만 아니라 제작 기간이 지연되고, 사후 서비스를 받기 어려울 수 있다. 이러한 상황을 피하기 위해, 꼭 실제로 운영 중인 공장을 방문하여 실제 제품의 품질과 생산 공정을 확인해야 한다.

인도의 복잡하고 불편한 교통, 그리고 더운 날씨로 인해 직접 업체를 방문하는 일은 쉽지 않다. 그러나 지속적으로 사용할 중요한 설비의 경우, 초기에 노력을 감수하는 것이 장기적으로 볼 때 가치 있는 투자라고 볼 수 있다.

인도의 열악한 공장

설비의 품질은 그 설비가 사용되는 기간 동안 생산 효율과 품질, 그리고 안전성 등에 큰 영향을 미치므로, 이를 확보하기 위한 초기의 노력은 중요하다. 따라서, 가능하다면 업체 방문을 통해 철저한 검토를 하는 것이 바람직하다.

◆ 정보 검색

인도 시장에서 적절한 장비 및 기계를 찾는 과정은 쉽지 않다. 다음은 이러한 과정을 보다 효율적으로 수행하는데 도움이 될 수 있는 몇 가지 팁을 제시하고자 한다.

첫 번째로, 구글 같은 검색 엔진을 이용하여 원하는 장비와 특정 지역을 함께 검색하는 방식이 있다. 이 방법은 간단하며 빠르게 해당 지역에서 사용가능한 장비의 공급업체를 파악하는데 유용하다.

두 번째로, 'India Mart'와 'Trade India'와 같은 인도에서 널리 이용되는 B to B 전문 온라인 플랫폼의 활용이 있다. 이러한 플랫폼은 다양한 장비 및 기계를 공급하는 업체들의

정보를 포함하고 있어, 원하는 장비를 찾는데 많은 도움을
줄 수 있다.

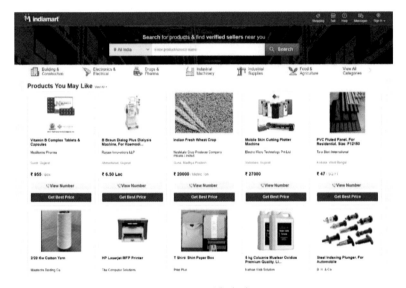

India Mart 웹사이트

하지만 온라인 플랫폼을 통한 검색과정에서는 개인정보
보호에 주의해야 한다. 특히, 세부 내용 확인을 위해 개인
휴대전화 번호를 제공하게 될 경우, 그 번호로 다수의 광고
문자나 전화를 받게 될 가능성이 있다. 더군다나 핸드폰 번
호를 입력하지 않으면 세부 정보 페이지로 넘어가지 않도록
해 놓은 곳도 많다.

Trade India 웹사이트

　필자의 경우, 인도 집을 알아보는 중 부동산 사이트에서
세부 정보 확인을 위해 반강제적으로 개인 전화번호를 입력
하였는데, 몇 년이 지난 지금까지도 여러 부동산 업체로부
터 관련 광고 전화와 문자가 오고 있다. 이러한 불편함을
최소화하려면, 가능한 한 별도의 업무용 전화번호를 사용하
는 것이 바람직하다. 이를 통해 개인 정보의 보호와 함께
효과적인 장비 선택 과정을 유지할 수 있을 것이다.

　세 번째로, 인도 현지인에게 필요한 제품을 직접 찾아보도록 하는 것이다. 인도 현지인은 다양한 채널을 통해 폭넓게 제품을 탐색할 수 있기 때문에 이 방법이 유리하다. 그러나, 말도 안 되게 비싼 제품이나 원하는 사양에 맞지 않는 제품을 추천 받을 수 있는 가능성도 있다. 따라서 정확한 가이드라인을 제시하고, 별도로 직접 제품을 확인하는 과정이 필요하다.

특히, 필요한 사양에 적합한지를 내가 직접 확인하는 것이 중요하다. 이를 통해 제품 사양의 불일치로 인해 발생할 수 있는 문제를 사전에 방지할 수 있다.

마지막으로 적절한 장비나 기계를 찾기 위해서는 주변 공구 상가를 직접 방문해보는 것도 좋다. 더운 날씨에 발품을 팔아야 하는 어려움이 있지만, 다양한 제품과 시장 가격을 직접 확인하고 다양한 정보를 얻을 수 있다.

그러나 외국인이라면 몇 가지 주의할 점이 있다. 외국인에게 가격을 비싸게 부르는 경우가 많기 때문에 항상 현지인과 함께 방문하는 것이 좋다. 또한, 지나친 호객 행위나 소매치기 등의 위험이 있을 수 있으므로 귀중품은 소지하지 않는 것이 좋다.

인도의 공구 상가 거리

◈ 공장 현장으로의 장비 운송

　공장 설립 과정에서의 장비 운송은 단순한 물류 작업을 넘어서는 중요한 과제이다. 특히 인도의 넓은 국토와 복잡한 물류 네트워크는 장비 운송의 도전을 더한다. 장비의 원산지와 생산지의 위치, 재고 상황, 배송 방법 및 기간에 대한 철저한 이해와 계획이 필요하다.

　계약과 주문 과정은 일반적으로 지역 영업사원을 통해 이루어진다. 그러나 실제 장비가 생산되는 위치와 배송에 필요한 시간, 운송비용 등은 대개 나중에 공개되는 경향이 있다. 따라서, 장비의 원산지, 재고 상황, 배송 방법, 그리고 배송 기간 등을 사전에 확인하는 것이 중요하다. 예를 들어, 장비가 1,500km 떨어진 곳에서 출발하여 공장에 도달하는 데 일주일 이상 걸릴 수 있으며, 먼 거리에서 운송 중 교통사고와 같은 외부 요인으로 인한 장비 손상의 위험도 고려해야 한다. 심지어 장비가 이미 준비되어 있다 하더라도, 결제 완료 후에 상황이 바뀔 수 있다. 다른 곳에 납품된 후 다시 제작되는 경우, 제품 사양이 달라진 경우 등 다양한 지연 사유가 발생할 수 있으므로, 재고 상황이나 제품 상태를 사전에 확인하는 것이 필요하다.

이러한 점들을 고려할 때, 장비의 선택과 배송은 단순히 가격이 싼 것에 초점을 맞추기보다는 여러 요소를 꼼꼼히 고려한 후에 진행하는 것이 낫다. 이는 불필요한 지연을 방지하고, 예상치 못한 비용을 줄이는 데 도움이 될 것이다.

또한, 전문 운송 업체와의 협력이 중요하다. 전문 업체는 현지의 운송 규정, 장비 취급 및 최적의 운송 방법에 대한 전문 지식을 갖추고 있어, 운송 과정의 안전성과 효율성을 보장한다. 나아가, 운송 중 발생할 수 있는 사고나 손실에 대비한 적절한 보험 준비와 안전 조치도 확인해야 한다. 장비 운송 과정에서는 지속적으로 모니터링하고, 관련 당사자

들과의 소통을 통해 발생할 수 있는 문제에 신속히 대응하는 것이 필요하다. 이를 통해 장비가 정해진 일정 내에 안전하게 현장에 도착하도록 할 수 있다. 장비의 현장 도착 후에는 즉각적인 설치와 사용을 위한 준비가 필요하다. 예를 들어 지게차나 크레인 업체들과 사전에 시간을 조율하여 준비할 수 있도록 해야 한다.

크레인으로 장비 이동

특정 지역은 지게차나 크레인을 부르기 위해 며칠전에 연락한 후 약속을 잡아야 할 수도 있다. 현장에서 장비를 안전하게 하역하고, 설치할 위치에 대한 사전 준비는 운송 이후의 작업 효율을 높이는 데 중요한 역할을 한다.

공장 현장으로의 장비 운송은 과정에서 다양한 변수를 고려한 계획과 전문성 있는 파트너와의 협력은 프로젝트의 시간적, 재정적 목표 달성에 크게 기여할 것이다.

◈ 효율적인 장비 설치 및 세팅

공장에서의 장비 설치 및 세팅은 섬세하고 전문적인 작업이라고 할 수 있다. 장비가 공장에 도착하면, 우선적으로 그 장비가 손상되지 않았는지, 주문한 사양에 부합하는지 철저한 검사를 통해 확인해야 한다. 이는 운송 중 발생할 수 있는 손상이나 오류를 조기에 발견하여, 장비의 비효율적 사용이나 추가적인 수리 비용을 방지하는 데 중요하다. 실제로 많은 장비들이 파손된 상태로 도착되는 경우가 종종 있다. 심지어 운송전에 이미 파손된 것을 업체에서 섞어서 보낸 후 파손 인정을 하지 않는 경우도 있으니 장비가 도착하면 필히 검사를 하고, 파손된 것이나 실제 주문 사양과 다른 경우 사진촬영을 통해 증거를 확보해야 추후 분쟁이나 억울한 상황이 생기지 않는다.

장비가 안전하게 도착했다는 확인을 한 후, 설치 과정이 시작된다. 이 단계는 전문가의 손길을 필요로 하는데, 비전문가에 의한 설치는 장비를 손상시킬 위험이 있으니, 설치하는 인력에 대해 사전 확보가 필요하다.

장비 설치 후 운영 역시 중요하다. 특히, 직원이 장비를 잘못 조작하여 고장 내거나 망가트리는 경우가 매우 많다. 실제로, 장비 운용은 내가 아닌 직원에 의해 이루어지는데, 일부 직원들은 경력이 없음에도 불구하고 경력이 있다고 속이는 경우가 있다. 또한, 호기심이나 업무 집중 부족으로 인해 장비를 망가트리거나 본인이 다치는 사고가 발생하기도 한다.

이러한 문제를 예방하기 위해서는 장비를 운용하는 직원을 철저히 검증하고 확인하는 것이 중요하다. 직원의 기술적 능력과 경험을 면밀히 검증하고, 장비의 정확한 조작 방법과 작동 원리에 대해 철저한 교육을 제공해야 한다. 또한, 정기적인 안전 교육과 작업 중 발생할 수 있는 위험에 대한 의식을 고취시키는 것도 필요하다. 이는 장비의 잘못된 사용으로 인한 사고를 예방하는 데 도움이 된다. 장비 사용과 관련된 실습과 실제 작업 환경에서의 트레이닝을 통해 직원들이 실제 상황에 대처할 수 있도록 하는 것도 중요하다.

◈ 에어컨 설치

인도는 매우 더운 날씨가 지속되기 때문에, 공장 건설 시 에어컨 설치는 필수적으로 고려되어야 할 사항이다. 인도의 뜨거운 날씨에서 에어컨이 오랜 시간 동안 가동되면 과열로 인해 고장이 날 수 있으며, 이는 공장 운영에 큰 차질을 초래할 수 있다.

에어컨의 냉각 방식에는 크게 공냉식과 수냉식 두 가지가 있다. 먼저 공냉식 에어컨은 공기를 이용하여 냉각하는 방식이다. 이 방식은 가장 일반적으로 사용되며, 주로 가정용 및 소형 상업용 에어컨에서 많이 볼 수 있다. 공냉식 에어컨의 장점은 설치와 유지보수가 상대적으로 간단하다는 점이다. 또한 물이 필요하지 않아 물 공급이 어려운 환경에서도 사용할 수 있다. 그러나 열 교환 효율이 수냉식에 비해 낮을 수 있으며, 실외기의 소음이 발생할 수 있다는 단점이 있다.

반면, 수냉식 에어컨은 물을 이용하여 냉각하는 방식이다. 주로 대형 건물이나 공업용 시설에서 사용된다. 수냉식 에어컨의 장점은 열 교환 효율이 공냉식보다 높아 대규모 냉각이 필요할 때 유리하다는 점이다. 그러나 설치와 유지보수가 복잡하고 비용이 많이 들 수 있으며, 물을 많이 사용하므로 물 공급이 안정적이어야 한다는 단점이 있다.

인도에서 에어컨을 설치할 때는 공인된 설치업체를 이용하는 것이 중요하다. 저렴한 설치 업체를 이용하면 에어컨 설치가 제대로 이루어지지 않아 가스가 새거나 에어컨에 문제가 생겨 매년 수리가 필요할 수 있다. 대규모 냉각이 필요하지 않은 경우, 설치나 유지보수가 간단하고 저렴한 공냉식 에어컨을 여러 대 설치하는 공장도 종종 있다.

◆ 공장 내 정수기 설치

인도에서 공장 운영을 하며 직원들에게 깨끗하고 안전한 식수를 제공하는 것은 중요한 책임 중 하나이다. 인도의 수질 상태는 한국에 비해 좋지 않으며, 특히 수돗물 중 석회 성분이 많아 음용하기 위해서는 정수 처리가 필요하다.

산업용 RO 정수기

일반적으로 사용되는 정수기는 크게 준공사막 방식과 역삼투압(RO: Reverse Osmosis) 방식으로 나뉜다. 인도의 수질 특성상 석회수를 효과적으로 제거할 수 있는 역삼투압 방식의 정수기가 많이 사용되고 있다. 이는 물속의 불순물과 석회를 효과적으로 걸러내어 안전한 식수를 제공할 수 있기 때문이다.

공장 규모가 크고 많은 인원이 근무하는 환경에서는 일반 가정용 정수기로는 충분한 양의 정수 된 물을 제공하기 어렵다. 이에 대한 해결책으로 공장 옥상에 산업용 대용량 RO 정수기를 설치하는 것이 좋다. 산업용 정수기는 대규모로 물을 정수할 수 있는 능력을 갖추고 있으며, 공장 전체 직원이 사용할 수 있는 충분한 양의 깨끗한 물을 지속적으로 제공할 수 있다.

산업용 RO 정수기의 효율적인 운영을 위해서는 정기적인 유지보수가 필수적이다. 특히 프리 필터는 물속의 큰 불순물을 걸러내는 역할을 하므로, 높은 수질 오염도를 감안할 때 매월 한 번씩이나 자주 교체하는 것이 좋다.

제5장 인력 채용 및 교육

◆ 인도에서의 숙련 노동 인력 찾기

인도에서 숙련된 노동력을 확보하는 데 있어 중요한 요소 중 하나는 지원자의 기술 수준과 숙련도를 철저히 검증하는 것이다. 인도에서는 자신이 어떤 기술을 약간만 할 줄 알아도, 그것을 마치 전문가처럼 다룬다고 과장하여 말하는 경향이 있다. 이에 따라, 채용 과정에서는 지원자가 자신의 기술과 지식에 대해 주장하는 것이 사실인 지를 검증하는 단계가 필요하다. 필자의 경험을 예로 들자면, 사무직 직원 채용 과정에서 한 지원자가 자신의 엑셀 활용 능력이 전문가 수준이라고 주장하였다. 이에 필자는 그에게 간단한 표 작성과 평균값, 그리고 합계를 계산하는 엑셀 표 작성을 요청하였나 그 지원자는 엑셀의 버전을 핑계로 해당 과제를 수행하지 못하였다. 이러한 사례는 인력 채용 과정에서 지원자의 기술 수준을 단순히 주장에 의존해 평가하는 것이 아니라 실제로 그들이 주장하는 능력을 보유하고 있는지를 확인해야 함을 보여준다.

인도의 노동 시장은 그 광대한 국토와 다양한 지역별 특성에 따라 매우 다양하게 구성되어 있다. 그래서 각 지역의 산업 구조와 교육 수준, 기술 전문성을 면밀히 파악하는 것이 중요하다. 이를 통해 해당 지역에서 필요한 특정 기술을 가진 인력을 찾을 수 있다. 또한, 인도에는 다양한 기술 교육 기관과 대학이 존재하며, 이러한 기관 들과의 연계를 통해 신규 졸업생 또는 특정 기술을 보유한 인재를 채용하는 것이 가능하다.

인도에서 효과적인 직원 채용을 위한 방법 중 하나는

Naukri, Indeed, Glassdoor, LinkedIn과 같은 온라인 플랫폼의 적극적 활용이다. 이러한 플랫폼들은 인도 내에서 광범위하게 사용되며, 다양한 업종과 기술 수준의 인재들을 손쉽게 찾을 수 있는 강력한 도구로 자리 잡고 있다. 이들 플랫폼을 활용함으로써, 기업은 수천 명의 후보자 중에서 자신의 사업 요구에 맞는 최적의 인재를 신속하게 찾을 수 있다. 이 플랫폼들은 사용자의 교육 배경, 업무 경험, 기술적 능력 등의 다양한 정보를 제공하며, 이를 통해 기업은 후보자의 적합성을 더욱 정확하게 평가할 수 있다. 온라인 플랫폼의 활용은 기업이 전통적인 채용 방법에 의존하는 것보다 훨씬 더 넓은 범위의 인재 풀에 접근할 수 있게 해준다.

또한, 이러한 플랫폼들은 고급 검색 기능과 필터링 옵션을 제공하여, 기업의 특정 요구에 맞는 후보자를 효과적으로 찾을 수 있도록 도와준다. 예를 들어, 특정 기술이나 경험을 갖춘 인재를 찾거나, 특정 지역 또는 산업 분야에 초점을 맞출 수 있다. 또한, 이러한 플랫폼들은 직원 추천 시스템과 연계하여 더욱 효과적인 인재 채용을 가능하게 한다. 기존 직원들이 자신의 네트워크를 활용하여 적합한 후보자를 추천할 수 있으며, 이는 높은 질의 인재를 찾는 데 도움이 된다.

하지만, 온라인 플랫폼을 활용할 때는 몇 가지 주의사항도 있다. 예를 들어, 제공되는 정보의 정확성을 검증하는 것이 중요하다. 후보자의 프로필 정보가 항상 최신이거나 정확한 것은 아니므로, 면접 과정이나 배경 조사를 통해 이를 확인해야 한다.

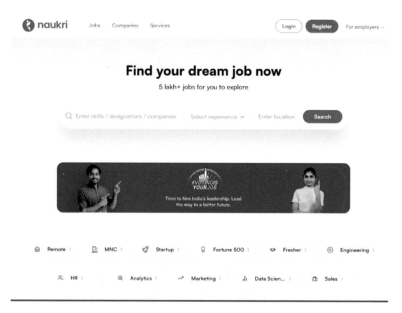

Naukri 웹사이트

종합적으로 볼 때, 온라인 플랫폼의 활용은 인도에서 숙련된 인력을 찾고, 기업의 인적 자원 관리를 강화하는 데 경제적이고 효과적인 방법이다. 이를 통해 기업은 보다 넓은 범위의 인재 풀에 접근하고, 더욱 효율적인 채용 프로세스를 경험할 수 있을 것이다.

　좀 더 빠른 채용을 원한다면 에이전시의 활용을 고려할 수 있다. 이들 업체는 광범위한 인재 데이터베이스를 보유하고 있어, 다양한 경력 및 기술 수준을 가진 인재들을 쉽게 제공한다. 이를 통해 기업은 필요한 특정 기술이나 경험을 갖춘 인력을 신속하게 찾을 수 있을 것이다. 이러한 서비스들은 기업이 채용 과정에서 시간과 비용을 절약할 수 있게 도와주며, 적합한 후보를 더욱 빠르고 정확하게 찾는 데 도움을 준다. 뿐만 아니라, 많은 채용 에이전시는 채용 과정 전반에 걸쳐 기업을 지원한다. 이들은 후보자 스크리닝, 인터뷰 조정, 채용 제안 협상 등의 과정에서 기업의 부담을 덜어주고, 고용 과정을 보다 효율적으로 만들어 준다. 특히, 후보자의 배경 검증 및 기술 평가는 기업이 보다 신뢰할 수 있는 인재를 채용하는 데 중요한 요소가 될 것이다.

　인도에서 직원을 채용하는 또 다른 방법으로 직원의 지인을 통한 채용이 있을 수 있다. 이는 기존 직원이나 신뢰할 수 있는 인맥을 통해 추천 받은 인재를 채용하는 것인데,

이런 방식의 가장 큰 장점은 이미 기존 직원에 의해 일정 부분 검증된 인재를 채용할 수 있다는 것이다. 추천하는 직원은 자신의 명성을 걸고 추천하기 때문에, 추천 받은 후보가 조직에 잘 적응하고 기여할 가능성이 높다. 그러나 이 방법에는 몇 가지 주의할 점이 있다. 가장 중요한 것은 친한 지인 들로만 구성된 사내 그룹이 형성될 가능성이 있다는 것이다. 이는 직장 내에서 파벌을 형성하고, 조직 내 다양성을 저해할 수 있다. 이런 상황은 팀워크와 조직 문화에 부정적인 영향을 미칠 수 있으며, 때로는 직장 내 갈등의 원인이 될 수도 있다. 따라서 이러한 채용 방식을 사용할 때는 신중한 접근이 필요하다. 직원의 지인을 통한 채용은 조직 내 다양성을 유지하면서 진행해야 한다. 또한, 추천된 인재에 대한 독립적인 평가와 면접 과정을 거쳐, 객관적인 기준에 따라 적합성을 판단해야 한다. 이는 편향 없이 가장 적합한 인재를 선별하는 데 도움이 될 것이다.

종합적으로, 인도에서 좋은 직원을 채용하기 위해서는 다양한 채용 전략을 병행하는 것이 좋다. 이를 통해 검증된 인력을 확보하면서도 조직 내 다양성과 건강한 조직 문화를 유지할 수 있을 것이다.

◈ 명확한 직무와 책임

인도에서의 효과적인 인력 관리를 위해 명확한 직무 구분은 중요하다. 직원들이 자신의 직무 범위 외의 일에 대해 상대적으로 무신경하거나 관여하지 않으려는 경향이 있기 때문에, 각 직무의 역할과 책임을 명확히 하는 것이 필수적이다. 이러한 경향은 업무 범위가 모호하거나 책임 소재가 불분명할 때 강화되며, 이는 업무 효율성을 저하시킬 뿐만 아니라 조직 내 갈등의 원인이 될 수 있다.

직무 설명서의 작성은 이러한 문제를 예방하는 데 중요한 역할을 한다. 직무에 대한 구체적이고 명확한 업무 범위의 정의는 직원들이 자신이 맡은 업무에 대해 명확하게 이해하게 하며, 이는 직원들이 본인의 업무에 책임감을 가지고 다른 직원과의 업무 분담 시 발생할 수 있는 불필요한 갈등을 피하는 데 도움이 된다.

직무 설명서는 또한 직원들이 자신의 역할에 대한 불안감을 느끼지 않도록 한다. 많은 직원들이 자신의 주 업무 외에 추가적인 책임을 지게 될까 봐 우려하는 경우가 있는데, 이러한 우려를 해소하기 위해서는 각 직무의 책임과 권한이 명확하게 정의되어야 한다. 이렇게 하면 직원들은 자신의 업무 범위 내에서 더욱 적극적이고 책임감 있게 행동할 수 있으며, 이는 조직의 전체적인 성과 향상으로 이어진다.

따라서 인도에서 성공적인 인력 관리를 위해서는 각 직무의 성격을 명확하게 이해하고 이를 바탕으로 직무 설명을 구체적으로 작성하는 것이 필요하다. 이러한 접근은 직원들의 책임감을 높이고, 조직 내에서의 역할 분담을 명확히 하며, 불필요한 갈등을 예방하는 데 기여할 것이다.

◈ 효율적인 채용 및 선발 전략

인도에서 효율적인 인력 선발을 위해서는 체계적인 계획과 전략이 필요하다. 우선, 필요한 포지션과 인력에 대한 명확한 계획을 수립하는 것에서 시작한다. 인도의 인건비가 상대적으로 저렴한 점을 고려할 때, 한국과 비교했을 때 직원 한 명이 소화할 수 있는 업무의 양이 기대치보다 낮을 수 있다는 점을 인지해야 한다. 한국에서 숙련된 경력자 한 명이 처리할 수 있는 일을 인도에서는 2~3명의 경력자가 배분하여 처리해야 할 수도 있다. 이러한 상황을 고려하여 직무의 본질, 필요한 기술 및 경험, 업무 범위, 그리고 성과 기대치를 정확하게 정의하고, 이를 바탕으로 적합한 후보자를 찾는 것이 좋다.

면접 시 인도 지역의 광범위함과 다양한 교통 상황을 고려하는 것이 중요하다. 특히 대도시를 제외한 지역에서는 교통 상황이 좋지 않아, 때때로 온라인 면접을 해야 할 수 있다. 코로나 팬데믹 이후 화상 미팅 플랫폼의 발달로 온라인 면접이 일반화되었으나, 인도의 일부 지역에서는 네트워크 문제나 주변 소음으로 인해 원활한 면접 진행이 어려울 수 있다. 이러한 문제를 예방하기 위해, 면접 후보자에게 면접 전 조용한 장소에서의 네트워크 상태를 점검하도록 요청하고, 가능하다면 이어폰을 준비케 하여 좋은 오디오 품질로 하는 것이 좋을 것이다.

면접 과정에서 직원들이 면접 시간을 엄격히 지키지 않거나 캐주얼한 복장으로 참석하는 경우도 종종 발생한다. 이는 한국과 인도 간의 문화적 차이에서 비롯된 것으로, 인도의 면접 문화가 상대적으로 더 유연하다는 것을 고려하는 것이 좋다. 따라서 채용 프로세스를 수행할 때는 이러한 문화적 차이를 인지하고 일정 수준의 타협을 하는 것이 나을 것이다. 준비가 잘된 면접자는 시간 준수와 단정한 복장을 갖추고 있을 수 있으나, 모든 후보자에게 한국과 같은 엄격한 기준을 적용하는 것은 채용 과정을 더욱 어렵게 만들 수 있다.

전반적으로, 인도에서의 효율적인 인력 채용 및 선발 전략은 지역의 특성, 온라인 면접의 가능성, 그리고 문화적 차이를 고려하여 준비해야 한다.

면접과 평가 과정의 표준화도 중요한 요소다. 구조화된 면접 방식을 사용하여 모든 후보자에게 동일한 질문을 하고, 객관적인 평가 기준을 적용하여 주관성을 최소화하고, 적합한 후보자를 효과적으로 식별하는 데 도움이 될 것이다. 또한 기술적 능력 뿐만 아니라 후보자가 조직 문화에 얼마나 잘 적응할 수 있는지, 그리고 장기적인 성장 잠재력을 평가하는 것도 필요 할 것이다.

◆ 직원 교육 및 전문 발전 프로그램 시행

인도에서 직원들을 효과적으로 교육하고 관리하기 위해서는, 직원 교육에 상당한 시간과 노력을 투자해야 한다. 인도는 땅이 넓고 다양한 문화적 배경을 가진 직원들이 모여 있으므로, 일관된 문화와 가치를 교육하는 것이 중요하다. 그래서 직원들에게 회사의 문화, 가치관, 원하는 인재상에 대한 교육을 하여 직원들이 회사의 분위기와 정책을 빠르게 이해하고 적응할 수 있도록 도울 수 있을 것이다.

인도에서의 직원 교육은 회사의 문화, 가치관, 인재상 뿐만 아니라, 기본적이고 기초적인 업무 기술에 대한 교육도 포함해야 한다. 종종, 직원들 중에는 기본적인 컴퓨터 사용 능력이나 업무 의사소통 방법이 부족한 경우도 있다. 예를 들어, 워드나 엑셀의 기본 사용 방법, 단축키 활용, 키보드 타이핑 기술, 효과적인 의사소통 방법, 전문적인 메일 작성 에티켓 등 기초적인 것을 갖추지 못한 직원도 있다.

이러한 기초적인 업무 기술의 부족은 전체적인 소통의 오류나 업무 효율성 저하의 원인이 될 수 있으므로, 이를 간과해서는 안 된다. 따라서, 직원 교육 프로그램에는 이러한 기초적인 업무 기술을 포함시키는 것도 필요하다. 이는 직원들이 업무에 필요한 기본적인 도구를 효과적으로 사용할 수 있도록 도와주며, 전반적인 업무 효율성을 향상시킬 것이다.

직원 교육 중

직원들의 동기 부여와 기술 향상을 위해 정기적으로 엑셀이나 워드 테스트를 실시하는 것도 효과적인 방법일 수 있다. 예를 들어, 엑셀에서 기본적인 표 및 서식을 만드는 경연 대회를 개최하거나, 워드에서 타이핑 속도를 측정하는 경연을 할 수도 있다. 이러한 경연은 직원들에게 새로운 도전을 제공하고, 업무 관련 기술을 자연스럽게 향상시키는 데 도움이 될 것이다. 또한, 우승한 직원에게 작은 선물을 제공함으로써, 직원들에게 추가적인 동기 부여를 제공할 수 있다. 이런 활동은 직원들이 업무 관련 기술을 재미있게 배우고 연습할 수 있는 기회를 제공하며, 전체적인 업무 효율성과 만족도를 향상시킬 수 있다.

이와 더불어, 근무 시간, 휴게 시간 등의 사내 규칙도 명확하게 설정하고 이를 직원들에게 정확히 알리는 것이 중요하다. 이러한 규칙으로 회사의 사내 문화와 분위기를 긍정적이고 생산적인 방향으로 잘 구축하는 것이 중요하다.

인도 직원들 중에는 체계적이거나 규범에 따르는 것에 대해 약간의 저항감을 가지는 직원도 종종 있다. 또한, 윤리적인 문제에 대한 인식이 부족하여 문제를 일으키는 경우도 있어, 체계적인 시스템을 만들고, 윤리 문제가 발생하지 않도록 여러 방면에서의 규정을 설정하는 것이 중요하다. 특히 회사 자산과 관련된 문제, 예를 들어 지출이나 자재 관리 등에서 직원이 잘못된 생각을 하지 않도록 사전에 철저히 확인하는 규정이 필요하다. 그리고 중요한 자재나 완제품의 경우, 한 달에 한 두 번 다른 부서의 관리자나 책임자를 감사자로 임명해 재고를 확인하게 하고, 그 결과를 서명하게 하는 책임 절차와 규칙을 만드는 것이 좋다. 이런 절차는 문제 발생을 미리 예방하고, 직원에게도 다른 잘못된 생각을 하지 않도록 예방하는 효과도 있다.

종합적으로, 인도에서의 직원 교육 및 전문 발전 프로그램은 기술적인 훈련, 회사 문화와 가치 교육, 동기 부여 활동, 그리고 개인 및 전문적 발전을 위한 교육을 모두 포함해야 한다. 이러한 다양한 접근은 직원들의 전문성을 높이고, 조직의 성과와 경쟁력을 강화하는 데 중요한 역할을 할 것이다.

◈ 정기적 업무 피드백

인도에서의 공장 운영에서 정기적인 업무 피드백은 매우 중요하다. 직원들에게 지속적인 피드백을 제공하지 않을 경우, 나태함과 매너리즘에 빠질 수 있다. 심지어 잘하던 직원도 시간이 지나며 나태해지고, 기존에 잘 지켜오던 규칙들을 무너뜨리려는 모습을 볼 수도 있다.

이러한 문제를 방지하기 위해, 직원들에게 정기적으로 긍정적인 칭찬과 개선이 필요한 부분에 대한 구체적인 피드백을 제공하는 것이 필요하다. 좋은 일을 했을 때 당연히 칭찬을 해주고, 개선해야 할 부분에 대해서는 명확하고 구체적인 지적을 해주어야 한다.

피드백을 주는 방식도 중요하다. 가능한 메일 등을 통해 피드백을 기록으로 남겨두는 것이 좋다. 구두로만 전달하면 직원들이 가볍게 여기고 잊어버리는 경우가 많으며, 나중에 그런 지시나 피드백을 받은 적이 없다고 주장하는 상황도 종종 발생한다. 따라서 피드백은 기록으로 남겨, 필요할 때 참조하고 검토할 수 있게 하는 것이 좋다.

이러한 정기적인 피드백은 직원들에게 새로운 것을 배우고자 하는 의지를 불어넣고, 동일한 실수를 반복하지 않도록 하는 데 도움이 된다. 피드백 과정은 단순한 지적이 아니라, 직원의 성장을 돕고 자극을 주는 과정이 되어야 한다. 이를 통해 직원들은 자신의 업무에 대한 열정을 유지하고, 조직의 성장과 발전에 기여할 수 있다.

반대로, 직원들에게 정기적으로 피드백을 받는 것도 조직 내의 다양한 문제를 조기에 파악하고 해결할 수 있는 기회를 제공한다. 모든 직원들을 상대로 피드백 양식을 제공하거나, 구글폼, 혹은 다른 온라인 설문 조사 플랫폼을 통해 직원들로부터 의견을 수집할 수 있다. 이를 통해 사내 괴롭힘, 부조리, 관리 능력의 문제 등을 포함한 다양한 이슈를 파악할 수 있다. 물론, 제시된 문제의 사실 여부를 확인하는 것이 중요하며, 이를 통해 사내의 사각지대에 숨어 있는 문제를 초기에 발견하고 해결할 수 있다.

나아가 이 과정에서 직원들의 새로운 제안이나 아이디어도 수렴할 수 있다. 이러한 피드백은 조직의 발전을 위한 새로운 방향을 제시하고, 직원들이 조직 내에서 적극적으로 참여하고 있다는 느낌을 줄 수 있다. 이는 직원들의 만족도와 참여도를 높이는 데에도 좋은 역할을 한다. 사내 피드백 시스템을 도입함으로써 관리자들에게도 경각심을 준다. 관리자들은 자신들의 행동과 관리 방식이 지속적으로 평가되고 있음을 인식하고, 이에 따라 보다 책임감 있는 태도로 직원 관리에 임할 수 있다. 이는 전체적인 조직 문화의 개선과 건강한 작업 환경 조성에 중요한 역할을 할 것이다.

1. Company Performance Evaluation
How would you evaluate our company's overall performance over the past year? *
(आप पिछले वर्ष हमारी कंपनी के समग्र प्रदर्शन का कैसे मूल्यांकन करेंगे?)

	1	2	3	4	5	
Bad	○	○	○	○	○	Good

Why do you think so? (आप ऐसा क्यों सोचते हैं?) *

장문형 텍스트

2. Your Contribution Over the Last Year (पिछले वर्ष आपका योगदान) *

	1	2	3	4	5	
Small	○	○	○	○	○	Great

Why do you think so? (आप ऐसा क्यों सोचते हैं?) *

장문형 텍스트

2.1. Reflecting on your own performance, what accomplishments are you most proud of from *
the past year?
(अपने स्वयं के प्रदर्शन पर विचार करते हुए, पिछले वर्ष की किन उपलब्धियों पर आपको सबसे अधिक गर्व है?)

장문형 텍스트

2.2. Are there specific projects or tasks where you believe you excelled, or conversely, areas *
where you faced challenges?

(क्या ऐसे विशिष्ट प्रोजेक्ट या कार्य हैं जहां आपको लगता है कि आपने उत्कृष्ट प्रदर्शन किया है, या इसके विपरीत,
ऐसे क्षेत्र हैं जहां आपको चुनौतियों का सामना करना पड़ा?)

장문형 텍스트

구글폼 설문조사 예시

◆ 인사고과

직원의 인사고과는 조직 관리의 핵심 요소로 자리 잡고 있다. 인사고과는 단순히 업무 평가를 넘어서, 직원과 조직 모두의 성장을 촉진하는 중요한 도구로 활용된다. 이 과정은 때때로 고민과 갈등의 원인이 되기도 하지만, 잘 관리된다면 조직의 성과 향상과 개인의 발전에 크게 기여할 수 있다.

인사고과의 주된 목적은 성과 향상, 개인 발전, 팀워크 강화, 그리고 성과에 따른 보상과 승진의 기준 설정 등 인력 관리의 중요한 부분이다. 이를 위해 구체적인 인사고과 테이블을 작성하고, 초기 오리엔테이션에서 이를 소개하는 것이 좋다. 이러한 체계적 접근은 직원들에게 명확한 기준을 제시하며, 그들의 성장을 구체적으로 돕는다.

인사고과 항목은 근태 시간, 근무 태도, 적극성, 팀워크, 숙련도, 습득 능력 등 다양한 영역을 포함해야 한다. 관리자의 경우, 커뮤니케이션 능력, 보고서 작성, 계획 관리, 인적 자원 관리, 업무 관련 지식, 문제 해결 능력 등을 포함시키는 것이 좋다. 이를 통해 각 직원은 자신의 부족한 부분을 인식하고, 이를 개선할 수 있는 기회를 갖게 된다.

또한, 인사고과는 직원들의 근태 상황을 포함한 다양한 업무 측면을 평가해야 한다. 인도에서는 한국과 달리 근태에 대한 인식이 엄격하지 않을 수 있기 때문에, 이러한 부분에 대한 평가도 중요하다.

인도의 일부 관리자들 사이에서는 자신의 지위가 위협받을 수 있다는 두려움 때문에 자신의 지식이나 업무 노하우를 팀원에게 가르쳐 주지 않으려는 경향이 있다. 그래서 인사고과 시 관리자에 대한 평가는 팀 관리 능력에 대해서도 구체적으로 포함시키는 것이 좋다. 이는 관리자가 팀원들의 성장과 발전에 기여하는지, 팀 전체의 성과 향상을 위해 어떤 노력을 하고 있는지를 평가하는 중요한 기준이 된다.

제6장 공장 가동

여러분이 이 공장 가동 단계까지 도달하기까지 이미 상당한 노력을 기울였을 것이다. 하지만 실제로 공장 가동을 시작하는 순간이 진정한 시작점이라 할 수 있다. 인도에서의 공장 운영은 예상치 못한 많은 문제들과 마주하게 될 것이며, 이는 대부분의 기업이 공통적으로 경험하는 어려움일 것이다. 철저한 계획과 준비에도 불구하고, 다양한 요소에서 발생하는 예상치 못한 문제들에 직면할 준비가 되어 있어야 한다.

우선, 자재 공급의 지연이 큰 문제가 될 수 있다. 인도에서는 예정된 시간에 자재가 도착하지 않아 생산에 차질이 생기는 상황은 흔하다. 이에 대비하기 위해서는 여러 공급업체와의 계약을 고려하고, 필요한 자재의 재고를 충분히 확보해 두는 것이 좋다. 또한, 자재 공급 상황을 지속적으로 모니터링하고, 긴급 상황에 대비한 대체 계획을 마련하는 것이 중요하다.

날씨로 인한 문제가 발생할 수도 있다. 비가 오는 날에는 직원들이 출근하지 못하는 상황이 발생할 수 있다. 이와 같은 상황에 대비해 원격 근무 시스템을 갖추거나, 필요 시 대체 인력을 확보하는 것이 중요하다.

생산 완료 후에도 운송업체나 도로 사정으로 인해 납기일에 문제가 발생할 수 있다. 이러한 상황을 예방하기 위해 여러 운송업체와 협력하고, 필요한 경우 대체 루트를 고려하는 것이 중요하다. 또한, 납기일을 여유 있게 설정하여 불가피한 지연에 대비하는 것도 현명한 전략일 것이다.

이처럼 생산 계획을 세울 때에는 다양한 상황을 고려하여 여러 대비책을 마련해야 한다. 플랜 A, 플랜 B, 플랜 C를 포함한 다층적인 계획을 세우는 것이 중요하다. 모든 상황에 대비해 자재 공급업체를 다변화하고, 대체 작업 인력을 확보하며, 다양한 운송 경로를 고려하는 것이 필요하다.

◈ 생산 품질 교육

인도에서 공장을 운영하며 중요한 측면 중 하나는 품질 관리 마인드의 확립이다. 제품의 품질은 생산 과정에서 직원들이 얼마나 품질을 중요시하고, 그에 따라 제품을 정확하고 세심하게 조립하고 생산하는지에 달려 있다. 초창기에는 많은 직원들이 품질에 대한 인식이 부족하여, 품질이 떨어지는 제품이 생산되고, 불량률이 증가하는 문제가 발생할 수 있다.

따라서 생산 과정에서 품질 관리에 대한 지속적인 교육과 인식 개선이 필요하다. 직원들에게 품질이 왜 중요한지에 대한 깊은 이해를 심어주는 것이 중요하며, 이를 위해 정기적으로 품질 관리 교육 프로그램을 마련하는 것이 좋다.

또한 생산 기준과 절차를 명확하게 설정하는 것은 생산 직원들이 업무를 수행하는 데 있어 혼란을 방지하고 실수를 최소화하는 데 중요한 역할을 할 것이다. 업무를 최대한 단

순화하고 분업화하여 각 직원이 자신의 역할을 명확하게 이
해하고 수행할 수 있도록 하는 것이 좋다.

품질 관리 마인드를 함양하는 것은 단순히 제품의 불량률
을 줄이는 것을 넘어서, 기업의 브랜드 가치와 신뢰성을 높
이는 데에도 핵심적인 요소이니, 인도에서의 공장 운영에
있어 품질 관리 교육은 생산성 향상뿐만 아니라 기업의 지
속 가능한 성장을 위한 핵심 전략이 될 것이다.

◈ 중간 관리자 교육

생산부에서 생산 관리자와 생산 직원 사이의 중요한 연결

고리로서 생산반장 또는 라인리더 등 여러 중간 관리자 직책이 있다. 이들은 생산 라인에 적합한 인력을 배치하고, 생산 준비와 진행 등을 관리한다. 이를 위해, 생산 관리자들은 라인 리더들에게 공정하고 이성적인 관점에서 생산 직원들과의 관계 구축 및 유지 방법에 대한 교육을 제공해야 한다. 이는 직원들 사이의 긴장을 완화하고, 생산 현장에서의 갈등을 효과적으로 관리하는 데 도움이 될 것이다.

또한, 중간 관리자들은 생산 과정에서 예상치 못한 상황에 대응하는 데 필요한 유연성과 문제 해결 능력을 갖추어야 한다. 이를 위해, 생산 관리자들은 생산 과정의 모든 측면에 대한 이해를 깊게 하고, 효과적인 의사소통 기술과 리더십 능력을 개발하는 데 중점을 두어 교육을 진행해야 한다. 이는 생산 라인의 효율적 관리와 생산 과정에서 발생할 수 있는 갈등, 완력의 문제등 여러 관계에 대한 문제에서도 대응에 큰 도움이 될 것이다.

생산 반장과 라인 리더들에 대한 교육과 훈련은 단순한 기술적 능력의 향상을 넘어서, 생산 현장의 문화와 환경을 이해하고, 그 안에서 직원들을 효과적으로 관리하고 동기를 부여할 수 있는 능력을 개발하는 것을 목표로 해야 한다. 이런 방식으로, 생산 반장과 라인 리더들은 생산 현장의 중요한 자산이 되며, 생산의 효율성과 품질 향상에 크게 기여할 수 있을 것이다.

◈ 사내 남녀 문제

생산 현장에서 남녀 직원이 함께 근무하는 환경은 특별한 관리와 주의가 필요한 공간이다. 인도의 문화적 특성상, 여성 직원들이 자신의 의견을 자유롭게 표현하는 데 어려움을 겪을 수 있고, 남성 직원이나 관리자 사이에서 적절한 존중과 대우를 받지 못하는 경우도 종종 발생한다. 이러한 상황은 여성 직원들의 사기 저하와 업무 효율성 감소로 이어질 수 있으므로, 섬세하고 공정한 관리가 필요하다.

또한, 대다수의 직원들이 다른 지역에서 일자리를 찾아온 경우가 많아, 가족으로부터 멀리 떨어져 생활하게 된다. 이로 인해 동료들과 함께 자취하는 경우가 흔하며, 이는 남녀 직원 간의 관계에서 예기치 못한 문제를 유발할 수 있다. 사내에서 발생하는 남녀 관계의 문제는 업무 분위기에 부정적인 영향을 미칠 수 있고, 직원들 사이의 긴장과 갈등을 초래할 수 있다.

이러한 상황을 예방하기 위해, 사내에서는 명확한 행동 규범과 정책을 마련하고, 모든 직원들이 이를 숙지하고 준수하도록 해야 한다. 남녀 간의 적절한 직장 내 교류에 대한 교육과 워크샵을 정기적으로 실시하는 것도 중요하다. 이를 통해 직원들은 서로를 존중하고, 업무 중심의 건강한 관계를 유지하는 방법을 배울 수 있을 것이다.

또한, 문제가 발생했을 때 적극적으로 대처할 수 있는 내부 고충 처리 시스템을 구축하는 것도 중요하다. 이는 직원들이 자신들의 문제나 우려를 안전하고 신뢰할 수 있는 방식으로 공유하고, 해결방안을 모색할 수 있는 통로가 될 것이다.

◆ 정기회의 및 직원과 소통

정기 회의나 직원 간의 원활한 소통은 조직 내에서 정보의 투명한 공유, 아이디어의 자유로운 교환, 그리고 결속력 강화를 위해 필요한 부분이다. 공장 운영 시 정기적으로 회의를 개최하는 것은 중요하다는 점은 누구나 아는 사실이다. 이는 단순히 지시사항 전달의 장이 아니라, 상호 소통과 아이디어 공유의 핵심적인 시간이 되기 때문이다. 관리자와 부서원 간의 정보 격차는 종종 프로젝트의 실패, 업무의 비효율성, 그리고 직원 만족도 저하로 이어질 것이다.

인도 일부 관리자나 부서장은 중요한 정보를 혼자만 알고 있거나, 직원들의 의견을 제대로 수용하지 않는 경우가 있는데, 이는 조직 내 소통의 장애물로 작용한다. 이러한 상황은 직원들 사이의 불신을 조성하고, 조직의 전반적인 성과에 부정적인 영향을 미칠 수 있다.

따라서 가끔은 모든 부서원이 참여하는 정기회의를 열어 정보 공유의 효율성을 극대화하고, 직원들의 참여와 기여를

만들 필요가 있다. 모든 부서원이 참석하도록 함으로써, 중요한 지시사항이나 정보가 직접적으로 전달되도록 하는 것이 좋다. 또한, 이러한 회의는 직원들이 자신의 아이디어나 제안을 자유롭게 표현할 수 있는 기회를 제공함으로써, 소통의 질을 향상시킬 것이다.

◈ 위험 관리 및 안전 규정 준수

인도에서의 생산 활동에 있어 작업장 안전은 매우 중요한 요소다. 안전 불감증이 상대적으로 높은 인도의 작업 환경에서는 위험 예방 및 관리 전략이 필요하다.

우선 안전 관련 법규 및 규정 준수를 위한 체계적인 절차와 시스템 구축이 필요하다. 이는 직원들의 안전을 보장하고, 법적 문제를 피하기 위한 기본적인 단계다. 인도 내에서도 다양한 안전 관련 규정이 있으며, 이를 마련하여 준수하는 것은 기업의 책임이다. 그리고 직원들에 대한 안전 교육 및 훈련이 중요하다. 인도의 작업 환경에서 안전 불감증이 심각한 문제로 지적되곤 하는데, 이는 대부분의 사고가 안전 규정의 무시나 부주의에서 비롯되기 때문이다. 따라서,

정기적인 안전 교육 및 훈련을 실시하여 직원들의 안전 의식을 높이고, 안전 사고를 예방하는 것이 중요하다.

라자스탄주 페인트공장 화재

특히 위험물 관리에 특히 주의를 기울여야 한다. 위험물의 취급, 보관, 운송에 대한 엄격한 규제 준수는 물론, 해당 물질을 다루는 직원들에게 적절한 교육 및 보호 장비를 제공해야 한다. 위험물 관리의 소홀함은 심각한 사고로 이어질 수 있으므로, 이에 대한 철저한 관리가 필수적이다. 그리고 정기적인 안전 점검 및 위험 평가를 실시해야 한다. 이는 작업장의 잠재적 위험 요소를 식별하고, 적절한 예방 조치를 취할 수 있도록 돕는다. 정기적인 점검은 위험 요소를 조기에 발견하고 개선하여, 잠재적인 사고를 미연에 방지하는 데 중요한 역할을 할 것이다.

인도에서의 생산 활동에 있어서 안전은 단순히 법적 요구 사항을 넘어서, 직원들의 생명과 건강을 보호하고 기업의 지속 가능한 성장을 도모하기 위한 핵심 요소다. 따라서, 위험 관리 및 안전 규정 준수는 어떠한 경우에도 가볍게 여겨져서는 안 되며, 기업의 최우선 순위로 다뤄져야 할 것이다.

◈ 생산 자재 공급

인도에서의 생산 자재 공수 및 공급은 여러 어려움이 있을 수 있다. 특히 인프라가 아직 충분히 발달되어 있지 않은 인도의 현실은, 특정 생산 자재나 부품을 구하기가 어렵고, 이는 생산 계획 수립과 실행에 있어 예기치 못한 장애가 되곤 한다.

문제는 단순히 자재를 구하는 것에만 국한되지 않고, 자재 공급처를 발견했다 하더라도, 그 품질이 기업의 기준에 미치지 못할 가능성이 크며, 때로는 비현실적으로 높은 가격에 직면할 수도 있다. 특히 특정 공산품의 경우, 인도 내에서의 생산보다는 수입에 의존하는 상황이 많아, 일부 자재들의 가격은 예상을 뛰어넘을 수 있다.

각종 산업 자재 전시회

이러한 상황을 타개하기 위해서는 광범위한 시장 조사와

다각적인 접근이 필요하다. 인도 전역에 걸쳐 다양한 공급처를 탐색하고, 필요한 경우 타국에서의 수입도 고려해야 한다. 때때로 해외 수입이 초기 비용은 높아 보일지라도 장기적으로 더 경제적인 선택이 될 수 있다.

주변 지역에서 열리는 관련 산업 전시회에 방문하여 공급업체를 찾는 것도 좋은 방법이다.

따라서, 생산 자재의 공급 문제에 대한 해결책을 모색하는 과정에서는 여유와 인내를 가지고 공급처의 다양화, 비용과 품질의 균형, 그리고 장기적인 공급 안정성을 고려한 결정이 필요할 것이다.

◈ 자재 공급처 관리 및 계약

인도에서 자재 공급처 관리 및 계약 체결 과정에서 품질 기준, 납기 일정 등을 명확히 규정하는 것은 필요하다. 자재의 품질과 공급 일정은 생산의 원활한 진행과 직결되며, 이들 요소의 관리 없이는 신뢰성 있는 제품 생산이 불가능할 것이다.

특히, 인도 시장에서는 특정 공급업체와 장기적인 거래를 진행하는 과정에서 품질이 저하되거나 납기 일정이 지켜지지 않는 경우가 흔하다. 이러한 문제들을 방지하기 위해 계약서에는 품질 기준과 납기 일정에 대한 조항을 구체적이고 명확하게 포함시켜야 한다. 계약서에 이러한 조항을 명시함으로써, 기준에 미치지 못하는 품질의 자재가 공급될 경우 적절한 조치를 취할 수 있는 근거가 마련된다.

더불어, 자재의 품질 관리를 위한 수입 검사(IQC: Incoming Quality Control) 부서의 역할이 매우 중요하다. IQC 부서에 대한 투자와 관리는 자재 입고 시 품질을 철저히 검증함으로써 생산 과정에서 발생할 수 있는 품질 문제를 사전에 예방하는 데 크게 기여할 것이다.

이처럼 세심한 자재 공급처 관리와 계약 체결, 그리고 품질 부서의 강화는 인도에서의 생산 활동에서 비효율을 최소화하고, 생산 효율성을 올릴 수 있을 것이다.

◈ 생산 공정 관리

생산 라인 관리는 공장 운영의 핵심이자 제품 품질을 유지하는 데 있어서 중요한 부분이다. 인도의 인건비는 한국에 비해 저렴하지만, 모든 직원이 동일한 수준의 작업 효율성을 보이지는 않는다. 작업 속도와 업무 처리 능력에서 큰 편차가 존재하며, 이는 생산성에도 영향을 미친다.

특히 생산 현장에서 종종 마주하는 문제는 직원들이 생산 표준 절차를 따르지 않는 경우다. 임의로 장비를 조작하거나 본인에게 편한 방식으로 제품을 조립하는 일이 빈번히 발생하는데, 이는 품질 저하와 안전사고의 주요 원인이 된다. 안전 절차를 무시하여 다치거나 장비를 망가뜨리는 사례도 자주 발생한다.

이러한 문제를 해결하기 위해서는 생산 라인을 상시 모니터링하고 관리할 중간 관리자를 배치하는 것이 필요하다. 중간 관리자는 작업자들이 표준 절차를 준수하도록 감독하고, 문제 발생 시 신속히 대응할 수 있는 역할을 맡아야 한다. 또한, 생산 표준 절차서를 구비하고 이를 기반으로 생산 직원들에게 지속적인 교육을 실시해야 한다. 교육을 통해 중요한 부분을 반복적으로 상기시키고, 표준 절차의 중요성을 강조하는 것이 필수적이다.

생산 라인 관리의 또 다른 중요한 요소는 효율적인 작업 배치와 인력 관리이다. 각 작업자의 역량에 맞는 작업을 배정하고, 효율성을 높이기 위한 체계적인 교육과 훈련을 지속적으로 제공해야 한다. 정기적인 평가를 통해 작업자의 성과를 점검하고, 피드백을 제공함으로써 작업 능력을 향상시킬 수 있다.

기계와 장비의 유지보수 역시 중요한 부분이다. 정기적인 점검과 예방 유지보수를 통해 장비의 안정적 운영을 보장하고, 생산 차질을 최소화할 수 있다. 이를 위해 매일 아침 짧은 미팅을 통해 전날 발생한 문제를 공유하고, 신속히 해결책을 논의하는 것이 도움이 된다.

마지막으로, 작업자들에게 문제 해결 능력을 키워주는 교육을 실시해야 한다. 작업자가 문제를 스스로 파악하고 해결할 수 있도록 피드백과 조언을 제공하는 것이 필요하다.

◈ 제품 출고

제품 출고 과정은 제조 및 생산 활동의 마지막 단계이며, 이 단계에서 마주하는 문제들은 기업의 효율성과 고객 만족도에 직접적인 영향을 미친다.

물류 및 운송 인프라의 한계는 제품 출고 과정에서 큰 장애물이 될 수 있다. 인도의 광범위한 지역과 때로는 미비한 인프라 상황은 제품의 시기적절한 배송을 어렵게 만든다. 예를 들어, 악천후나 예상치 못한 교통 혼잡은 배송 일정에 심각한 지연을 야기할 수 있다.

인도에도 운송업체 및 택배 배송업체 역시 어려 업체가 있으나, 운송 중 제품 파손, 제품 분실, 오배송 등 문제들이 종종 생길 수 있으며 이를 해결하는 과정도 쉽지 않고 많은 시간이 소요된다. 또한 송장번호로 제품 추적하는 것도 택배사에서 시스템 업데이트를 제대로 하지 않아 조회가 잘 안되는 경우도 있다.

그래서 택배 운송업체 등을 선택할 때 신뢰할 수 있는 업체를 선택하는 것을 추천한다. 또한, 고가의 제품을 배송할 때는 추가 보험 가입을 고려하여 제품 분실이나 파손의 위험을 줄이는 것이 현명하다. 일반적으로 택배 보험은 비용

면에서 큰 부담이 되지 않으면서도 중요한 보호책을 제공할 것이다. 그리고 제품 배송 전 포장에 신경 써서 포장을 튼튼히 하여 배송 중 파손에 미리 대비하는 것이 좋을 것이다.

인도의 한 택배사의 배송추적 시스템

◆ 자재 수입 시 통관

인도에서 수입 통관은 까다롭고 예측 불가능한 과정 중

하나로, 여러 문제에 직면할 가능성이 높다. 세관 절차의 변덕스러움과 예측 불가능성은 기업들에게 쉽지 않은 도전들이다. 예를 들어, 한동안 문제없이 진행되던 통관이 갑자기 HS 코드 오류를 이유로 지연되거나 더 높은 관세가 부과되는 HS 코드로 변경되는 경우가 발생할 수 있다. 특히 한-인도 CEPA 협정을 통해 수입하는 경우, 원산지 증명서에 대한 추가 보완 서류 요구나 제출한 서류 중 일부를 문제삼아 통관이 지연되는 경우도 종종 있다.

이러한 상황에 대비하기 위해, 수입 자재의 HS 코드와 원산지 증명서, 필요한 모든 서류를 철저히 준비하고 검토하는 것이 중요하다. 또한, 통관 시스템의 오류나 기타 이유로 인한 지연도 빈번하므로, 수입 계획을 세울 때는 최대한 여유를 두는 것이 바람직하다.

수입 통관 문제에 직면했을 때 세관에 방문하여 세관 공무원과 대면이 필요한 상황도 발생할 수 있다. 이 경우, 관련 담당자를 만나기 위해 긴 시간을 기다려야 하는 경우도 많다. 인도의 공무원들은 일반적이고 관료적이고 권위적인 태도를 보이는 경우가 많아, 인내심을 가지고 접근해야 하며, 공손하고 논리적으로 대응하는 것이 중요하다. 예상치 못한 방향으로 상황이 전개될 수 있으므로, 이러한 상황에

대한 대비책을 미리 마련해 두는 것이 좋다

    간단한 물품이나 생활용품을 한국에서 인도로 택배나 소포를 보내는 경우도 있는데, 이는 때때로 상당한 어려움을 동반할 수 있다. 특히 비용 절감을 위해 우체국 EMS와 같은 서비스를 이용하는 경우, 인도 세관에서의 검사와 높은 관세 부과로 문제가 발생할 가능성이 크다. 이러한 검사 과정에서는 박스 내부의 물품들이 하나하나 뜯어져 검사되며, 재포장 과정에서 물품의 손상이나 분실이 발생할 수 있다.

    더욱이, 세관에서 부과하는 관세는 때때로 물품의 가치보다 훨씬 높아질 수 있어, 결국 물품 가격을 초과하는 관세를 내야 하는 상황에 처할 수도 있다. 이러한 문제를 피하기 위해, EMS와 같은 일반 국제 택배보다는 DHL이나 페덱스, UPS 같은 전문 배송사를 이용하는 것이 권장된다. 전문 배송사는 높은 비용이 들 수 있지만, 물품의 보안, 안전한 배송, 그리고 세관 처리 과정에서의 더 나은 관리를 제공하여 불필요한 추가 비용과 스트레스를 피하는 데 도움이 될 것이다.

◈ 제품 수출

인도 정부는 국제 무역을 촉진하고 국내 기업의 글로벌 경쟁력을 강화하기 위해 다양한 수출 장려 정책을 시행하고 있다. 이러한 정책의 일환으로, 수출 기업들은 다양한 인센티브와 혜택을 받을 수 있는 기회를 갖게 된다. 특히, 인도 상품 수출 제도(MEIS)와 DCS(Duty Credit Scrips) 같은 프로그램은 수출 기업에게 많은 혜택을 제공한다. 이들 제도를 통해 기업들은 다양한 혜택을 받을 수 있으며, 이는 기업의 수익성과 경쟁력 강화에 크게 기여한다.

이와 같은 혜택을 최대한 활용하기 위해서는 관련 분야의 전문가와 상담하는 것이 중요하다. 보통 특정 운송 서비스 업체, 컨설팅 회사, 변호사 등이 이와 관련된 업무를 대행할 수 있다. 이들 전문가는 기업이 받을 수 있는 혜택을 최적화하고 관련 절차를 효율적으로 진행하는 데 도움을 줄 수 있을 것이다. 따라서 기업은 여러 전문가들과 상담하고, 비용, 소요 시간, 서비스 품질 등을 비교 분석하여 최적의 파트너를 선정하는 것이 바람직할 것이다.

수출 관련 혜택은 인도에서 사업을 운영하는 기업에게 중요한 기회를 제공하므로, 이를 통한 재정적 이득과 함께 글

로벌 시장에서의 입지를 강화할 수 있을 것이다

인도에서 제품을 수출할 때도 수입 과정에서 겪는 것과 유사한 다양한 문제에 직면할 수 있다. 예를 들어, 수출 운반 트럭에서 운송 시 불안정한 도로 사정이나 사고로 인해 제품이 손상될 수 있다. 그리고 세관 내에서 지게차 운영이나 기타 핸들링 과정에서 실수로 인해 포장지나 팔레트가 파손될 수 있다.

인도 세관 통관 검사 후 손상된 화물 상태

또한 세관 검사 중 포장 및 외부 박스가 손상되거나, 제품 일부가 분실되거나 누락되어 해외 바이어에게 도착하는 문제도 발생할 수 있다. 이러한 문제는 바이어로부터의 컴플레인을 유발할 뿐만 아니라, 기업의 신뢰도와 평판에도 부정적인 영향을 미칠 수 있다.

이러한 문제들을 효과적으로 관리하기 위해서 우선 제품의 포장을 강화하여 운송 중 발생할 수 있는 파손을 최소화해야 한다. 포장 박스부터 시작하여, 모든 포장 단계에서 충분한 보호 조치를 취하는 것이 중요하다. 또한 제품이 트럭에 인계될 때, 제품의 포장 상태에 대해 사진을 꼼꼼히 찍어 두는 것이 좋다. 이는 추후 발생할 수 있는 파손이나 누락 문제에 대한 증거 자료로 활용될 수 있을 것이다.

◆ 인도에서 변호사 고용과 법적 대응

인도에서 공장을 운영하다 보면 다양한 법적 문제가 발생할 수 있다. 이러한 문제를 효과적으로 해결하기 위해서는 변호사의 도움이 필수적이다.

1. Legal Notice (내용 증명서)

내용 증명서(Legal Notice)는 상대방에게 법적 경고를 주고, 문제 해결을 위한 협상과 합의를 유도하는 중요한 도구이다. 많은 경우, 내용 증명서를 받은 사람은 겁을 먹고 협상을 시도하기도 한다. 그러나 일부는 이를 인정하지 않고 반박하며, 자신도 변호사를 고용해 대응할 수 있다. 이런 경우, 법정까지 가는 상황이 발생할 수 있다.

2. 법정 시스템의 어려움

인도의 법정 시스템은 시간이 많이 걸리며, 재판이 지연되는 경우가 많다. 재판이 몇 년까지 길어질 수 있으며, 이 과정에서 변호사 비용도 상승할 수도 있다. 이러한 상황은 기업에 큰 부담이 되며, 법적 분쟁을 장기화시키는 결과를 초래할 수 있다. 악의적인 상대방이 이러한 상황을 악용하여 협의를 거부하고 문제를 해결하지 않으려 할 수 있다.

3. 사전 예방과 빠른 대응의 중요성

법적 분쟁을 방지하고 최소화하기 위해서는 회사 내 규정을 명확히 하고, 문제가 발생했을 때 신속하게 대응하는 것이 중요하다. 다음과 같은 예방 조치를 취하는 것이 좋다:

첫째, 명확한 회사 규정을 마련해야 한다. 직원들이 준수해야 할 규정을 명확히 정하고, 이를 철저히 시행하는 것이 법적 문제를 예방하는 데 중요한 역할을 한다.

둘째, 문제가 발생하면 최대한 증거를 수집하고 신속하게 대응해야 한다. 초기 단계에서 문제를 해결하면 법적 분쟁으로 번지는 것을 막을 수 있다. 즉각적인 대응은 문제를 신속히 해결하는 데 필수적이다.

셋째, 내부 관리 시스템을 강화하는 것이 필요하다. 같은 부서에 두 명 이상의 직원이 서로의 업무를 확인할 수 있도록 하거나 직접 확인하는 시스템을 구축하여 내부 비리를 예방하는 것이 중요하다. 이중 확인 시스템은 직원들이 회사 자산을 부정하게 사용하는 것을 막는 데 효과적일 것이다.

무엇보다 인도의 법정 시스템은 복잡하고 행정 절차가 오래 걸리기 때문에, 법적 분쟁을 신속하게 해결하는 것이 어려운 경우가 많다. 따라서 가능한 한 법정까지 가지 않고 문제를 해결하는 것이 중요하다.

◈ 기타 관리

1. 직원 점심식사 제공

직원들에게 점심식사를 제공하는 것은 회사가 직원 복지와 만족도를 높이는 데 있어 중요한 부분을 차지할 것이다. 이를 위해 다양한 방법이 있는데, 그 중에서도 외부 도시락 업체의 이용, 회사 내 식당의 운영, 그리고 외부 조리 업체와의 협력 등이 있다.

외부 도시락 업체를 이용하는 방법은 회사 내에서 직접 식사를 준비할 필요가 없어 편리함을 제공한다. 이 방법은 특히 인프라나 자원이 제한적인 작은 회사나 시작 단계의 회사에 적합할 수 있다. 하지만 외부 업체의 음식 품질과 위생 상태를 직접 관리하거나 확인하기 어렵다는 단점이 있다. 특히 인도의 로컬업체는 어떤 환경에서 음식을 조리하는지 확인이 어려우며 위생문제가 종종 생기기도 한다. 때로는 음식에서 이물질이 발견되거나, 상한 음식이 배달되는 경우도 있어, 이는 직원들의 건강을 위협할 수 있다. 따라서, 외부 업체를 이용할 경우에는 정기적으로 업체를 방문하여 위생 상태를 직접 확인하는 것이 중요하다.

반면, 회사 내에서 직접 식당을 운영하는 것은 음식의 품질과 위생 상태를 직접 관리할 수 있다는 큰 장점이 있다. 또한, 좋은 재료를 사용하여 건강하고 영양가 있는 식사를 제공함으로써 직원들의 건강을 증진시킬 수 있다. 비록 초기에는 운영 비용과 인프라 구축에 대한 투자가 필요하지만, 장기적으로 볼 때 직원 만족도와 건강한 회사 문화 조성에 기여할 수 있다.

외부 도시락(좌)과 구내 식당 점심(우)

그러나 모든 공장이 직접 식당을 운영하기는 쉽지 않을 것이다. 이런 경우, 외부 조리업체와 협력하는 방안을 고려할 수 있다. 외부 케터링 업체와 계약을 맺고 회사 내 주방 공간만 제공하면, 조리사들이 직접 회사에 와서 음식을 조리하고 제공한다. 이 방식은 회사 측에서 조리 과정의 복잡함을 줄이면서도, 회사 내에서 조리되기 때문에 위생 상태와 재료의 질을 수시로 확인할 수 있는 장점이 있다.

각각의 방식은 그 자체의 장단점을 가지고 있으며, 회사의 상황, 직원들의 선호, 예산 등을 고려하여 가장 적합한 방법을 선택할 수 있다. 중요한 것은 직원들이 매일 건강하고 만족스러운 식사를 할 수 있도록 하는 것이며, 이를 통해 직원들의 건강을 보호하고 업무 만족도를 높일 수 있을 것이다.

2. 통근버스 운영

인도 일부 지역은 대중교통의 부족 또는 불편함으로 인해 많은 기업들이 통근 버스 운영을 하고 있다.

공장에서 직접 버스를 구매하여 운영하는 방법과 외부 버스 운영 업체 서비스를 이용하는 방법이 있으며, 여러 요소를 고려하여 가장 적합한 선택을 해야 한다. 대부분의 경우, 버스 운영 업체 서비스를 맡기는 것이 더 효율적인 방법으로 여겨진다. 이는 관리의 편의성, 비용 효율성, 전문성 등 여러 측면에서 유리하기 때문이다.

버스 업체 서비스를 이용할 때는 계약서 작성에 특별한 주의를 기울여야 한다. 계약서는 업체와의 합의된 서비스 내용을 명확하게 규정하고, 양측의 권리와 의무를 분명히

해 주는 중요한 문서이다. 특히 다음과 같은 세세한 항목들을 계약서에 포함시키는 것이 중요하다.

대기 중인 통근버스

  - 운전기사의 자질 문제: 운전기사의 전문성과 신뢰성을 확인할 수 있는 기준을 명시해야 한다. 예를 들어, 기사의 면허 상태, 경력, 그리고 정기적인 건강 검진 및 교육 이수 여부 등이다.

  - 음주운전 방지: 운전기사가 음주운전을 하지 않도록 하는 조치를 계약서에 명확히 해야 한다. 이는 직원들의 안전을 보장하는 데 필수적인 요소이다.

  - 운전의 안전성: 운전기사가 교통법규를 준수하고 안전

하게 운전하는지에 대한 기준과 점검 방법을 계약서에 포함시켜야 한다.

– 버스의 청결 유지: 버스의 청결 상태를 유지하는 것은 직원들의 만족도에 직접적으로 영향을 미친다. 따라서 버스의 청결 관리 방법과 주기에 대한 명확한 규정을 설정해야 한다.

이러한 세부 사항들을 계약서에 명시하는 것은 양측의 기대를 명확히 하고, 불필요한 오해나 분쟁을 방지하는 데 도움이 된다. 또한, 계약서에는 서비스 제공 업체의 책임 범위, 비용 지불 조건, 계약 위반 시의 조치 등도 구체적으로 명시되어야 한다.

제7장 제품 영업 및 판매

◈ 인도의 큰 내수시장

인도는 전 세계에서 인구가 가장 많은 국가이며, 그로 인해 방대한 내수시장을 보유하고 있다. 이 거대한 시장은 아직 개발되지 않은 영역이 많아 높은 성장 잠재력을 지니고 있다. 인도 경제는 매년 성장하고 있으며, 이는 시장의 성장 가능성을 더욱 부각시킨다. 이런 인도 시장의 매력은 많은 해외 기업들을 끌어들이고 있으며, 이들 기업은 인도의 다양한 기회를 활용하고자 노력하고 있다. 그러나 인도 시장의 독특한 특성과 복잡한 비즈니스 환경은 일부 기업들에게는 어려움이 될 수 있다. 사실, 몇몇 기업들은 이러한 도전을 극복하지 못하고 사업을 철수하기도 한다.

그래서 인도 시장에 진입하고자 하는 기업들은 철저한 시장 조사와 사전 준비를 해야 한다. 이는 문화, 소비자 행동, 법적 규제, 경쟁 환경 등 다양한 요소들을 이해하고, 이에 맞춘 전략을 수립해야 한다는 뜻이다.

인도 시장의 다양성은 그 자체로 기회와 도전을 동시에 제공한다. 인도의 각 지역은 서로 다른 문화적, 경제적 특성을 가지고 있으며, 이는 제품 개발, 마케팅 전략, 유통 채널 선택 등 다양한 비즈니스 결정에 중요한 영향을 미친다. 또한, 인도의 경제 발전은 중산층의 성장과 함께 소비 패턴의 변화를 가져오고 있다. 이는 신제품과 혁신적인 서비스에 대한 수요 증가로 이어지며, 국내외 기업들에게 새로운 시장 기회를 제공한다.

결국, 인도 내수시장에 성공적으로 진입하고자 하는 기업들은 광범위한 시장 조사와 함께 지역별, 계층별 맞춤형 접근 방식을 구사해야 한다. 또한, 변화하는 시장 환경과 소비자의 요구에 민감하게 반응하고, 현지화 전략을 효과적으로 수립하고 실행하는 것이 중요하다.

◆ 인도 시장 가격

인도의 소비자들은 가격에 대해 매우 민감하며, 가격이 저렴한 제품을 선호하는 경향이 아직까지 강하다. 더욱이 인도의 소비자들은 제품 구매 시 추가적인 혜택을 요구하는 경우가 많다. 이미 다양한 혜택이 제공되고 있음에도 불구하고 더 많은 것을 요구하는 태도는 때로는 인도에서 영업 활동을 할 때 당황할 수 있는 요소로 작용하며 이에 대한 적절한 대응 방안을 마련해야 한다.

또한, 인도 소비자들 사이에서도 가격 흥정은 매우 많다. 제품의 가격이 상대적으로 높지 않아도 소비자들은 강하게 가격을 깎으려는 시도를 하니 기업은 가격 흥정에 대한 전략적 접근이 필요하다. 필자 역시 인도 시장에서 무리한 가격 네고 요청에 진땀을 흘리며 대처해야 하는 상황을 경험한 바 있다. 이는 매우 일반적인 상황으로, 이런 상황에 익숙해져야 하고 적절한 가격 정책과 협상 기술을 통해 이러한 요구에 적절하고 침착하게 대응하는 것이 좋다.

인도의 재래시장

◈ 대금 지불 문제

인도에서 제품 판매 시 대면하는 주요 문제 중 하나는 대
금 지불과 관련된 어려움이다. 특히 인도 시장에 새롭게 진
출하는 기업들은 인지도가 낮기 때문에 종종 거래처로부터
후불제로 거래할 것을 요구받는 상황에 처하곤 한다. 이러
한 상황에서 발생하는 문제점은 제품이 인도된 후에도 약속

된 기한 내에 대금이 지불되지 않는 경우가 많다는 것이다. 연락을 시도해도 대금 지불을 미루거나 일부만 지불한 채 다시 추가 제품을 요청하는 경우도 비일비재하다.

대금 지불에 있어 가장 큰 문제는 대금 지불을 지연시키거나, 아예 지불을 회피하는 것이고, 심지어 문제없는 제품의 품질을 문제 삼아 가격을 깎으려는 악덕 업체들도 있다. 이러한 상황에 대처하기 위해서는 대금 지불 관리에 대한 철저한 사전 절차가 필요하다. 모든 거래는 서면으로 약속을 받아야 하며, 특히 대금 납부 기한에 관한 명확히 기재된 상호간의 문서를 만들어 놓는 것이 중요하다.

그러나 이러한 문제를 해결하기 위한 해결책은 단순하지 않다. 강경한 태도를 취하는 것이 중요하지만, 동시에 실질적인 해결 방안을 모색해야 한다. 전액 선금을 받는 것이 가장 이상적인 방법이지만, 항상 가능한 것은 아니다. 따라서 제품 주문 시 일정 비율의 대금을 미리 받는 방식이나, 제품 배송 후 잔금을 받는 방식을 고려할 수 있다. 또한, 은행이나 제3자 기관을 통한 대금 지불 보증을 활용하는 것도 하나의 방법이 될 수 있다.

인도 시장에서 대금 지불 문제에 효과적으로 대처하기 위해서는, 계약 관리의 철저함은 물론이고, 지불 지연 시 취할 수 있는 법적 조치에 대한 이해와 준비도 필요할 것이다.

◆ 경쟁업체 및 제품 카피 대응

인도에서 제품을 런칭할 때 주의 깊게 고려해야 할 부분은 바로 제품의 상표권이나 기술 특허와 디자인 침해에 대한 문제다. 인도에서는 제품의 상표권이나 기술, 디자인을 침해하는 사례가 매우 흔하며, 이에 대한 효과적인 대응은 쉽지 않은 일이다. 이러한 문제로 대응을 한다 해도 법적 보상을 받거나 침해를 막는 것이 매우 어려운 현실이다.

이러한 문제에 대처하기 위해 가장 중요한 것은 인도에서 제품을 출시하기 전에 반드시 상표 등록, 디자인 등록, 기술 특허 등록을 완료하는 것이다. 이러한 등록은 제품의 지적 재산권을 보호하는 중요한 첫걸음이다. 하지만 단순히 등록만으로는 충분하지 않다. 지속적인 모니터링과 신속한 대응이 필수적이다. 이는 제품 카피나 침해가 발견되었을 때 즉시 조치를 취할 수 있도록 하는 중요한 과정이다.

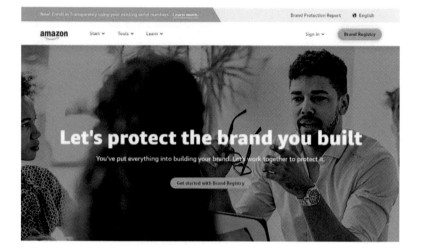

아마존 브랜드 보호 정책

아마존이나 다른 대형 온라인 플랫폼에서는 디자인과 상표를 보호하는 시스템이 구축되어 있어, 이러한 시스템을 적극적으로 활용하는 것이 바람직하다. 이러한 플랫폼을 통해 제품을 출시할 때, 제품의 소유권을 명확하게 하고, 침해 사례에 신속하게 대응할 수 있는 기반이 마련된다. 더욱이, 만약 경쟁업체가 자신의 회사 제품을 미리 등록해 놓는 경우, 그 제품의 소유권을 되찾기란 매우 어려운 일이 될 수 있다. 따라서 인도 시장에 제품을 출시하기 전에 대형 온라인 마켓 플레이스에 미리 등록해 두어 제품 판매 소유권을 확보하는 것이 중요하다.

◈ 전시회 참여

인도 시장에서 제품을 홍보하고 판매하기 위해서는 다양한 영업 전략이 필요하며, 그 중 하나가 전시회 참여다. 인도에서는 매년 다양한 산업 분야에서 수많은 전시회가 열린다. 이러한 전시회는 특히 새로운 제품을 시장에 처음 선보이거나 브랜드 인지도를 높이기 위한 효과적인 방법 중 하나다. 전시회에 참가함으로써 기업은 자사의 제품을 직접 보여주고, 잠재 고객과의 직접적인 교류를 통해 시장 반응을 측정하고 피드백을 받을 수 있는 기회를 가진다. 또한, 경쟁업체들의 동향을 파악하고 산업 내 최신 트렌드를 이해하는 데에도 도움이 된다.

인도에는 델리, 뭄바이, 첸나이, 방갈로르 등 여러 주요 도시에서 전시회가 개최되므로, 자사의 제품이나 서비스와 관련된 산업 분야의 주요 전시회를 사전에 파악하는 것이 중요하다. 이를 위해 온라인 검색, 업계 네트워크, 전문 전시회 조직자와의 연결 등을 통해 필요한 정보를 수집하고, 각 지역별 전시회에 참여하는 것이 효과적이다. 특히 한국 제품에 대한 좋은 인식이 있기 때문에 한국 제품임을 전시회 때 강조하면 더욱 좋은 관심과 결과가 있을 것이다. 인도에서 여러 전시회 참여를 통해 해당 지역 시장의 특성과 잠재 고객의 요구를 더 잘 이해할 수 있으며, 이는 결국 더 효과적인 마케팅 전략 수립으로 이어질 수 있을 것이다.

인도의 전시회 모습

◆ 업체와 관계 구축

인도 시장에서 성공적인 영업 성과를 거두기 위해서는 거래처 관리에 더 많은 투자와 노력을 기울여야 한다. 인도의 문화적 특성상, 사업상의 관계는 개인적인 관계와 감정적인 유대에서 시작되는 경우가 많다. 인도 사람들은 대체로 감성적이며 인간 관계에서 따뜻함과 정을 중시한다. 이러한 특성을 이해하고 적절히 대응하는 것은 인도 시장에서의 성공에 중요한 열쇠가 될 수 있다.

새로운 충성 고객을 만들기 위해서는 단순한 비즈니스 미팅을 넘어서 직접적인 만남과 함께 시간을 보내는 것이 중요하다. 예를 들어, 함께 차를 마시며 잡담을 나누는 시간은 친근감과 신뢰를 쌓는 데에 매우 효과적이다. 이러한 만남은 단순한 거래 관계를 넘어, 장기적인 비즈니스 파트너십으로 발전할 수 있는 기반이 된다. 특히, 인도 사람들은 한국인에 대해 대체로 호의적인 인식을 가지고 있기 때문에, 한국인 대표나 담당자가 직접 업체를 방문해 식사를 함께하는 등의 노력은 긍정적인 비즈니스 관계 형성에 크게 기여할 수 있을 것이다.

따라서, 인도 시장에서 좋은 영업 성과를 얻기 위해서는 정기적으로 거래처를 방문하고, 상대방과 함께 시간을 보내며 감성적인 유대를 형성하는 것이 좋다. 이러한 관계 구축은 단순한 거래를 넘어서, 장기적이고 안정적인 비즈니스 파트너십을 형성하는 데에 크게 기여할 것이다.

제8장 경리 및 세무 관리

인도에서의 회계 및 세무 관리는 기업 운영의 핵심 요소 중 하나로, 회사의 재정과 직결된다. 인도의 세법은 매우 복잡하고 자주 변경되는 규정 때문에 전문가의 도움을 받는 것이 좋다. 또한 인도 정부는 세무 조사에 있어 매우 엄격하며, 과거의 회계 자료에 대해서도 철저한 조사를 진행한다. 잘못된 회계 처리가 발견될 경우, 막대한 벌금이 부과될 수 있어 세무 준수는 기업 경영에 있어 중요한 부분이다. 특히 외국 기업의 경우, 정부의 세무 조사가 더욱 까다로울 수 있으니 더욱 세심하게 관리해야 한다.

　따라서 인도에서 비즈니스를 운영하는 기업은 정확하고 투명한 회계 기록을 유지하는 것이 매우 중요하다. 이를 위해 회계 소프트웨어의 사용, 정기적인 내부 감사, 전문 회계사의 상시적인 자문을 받는 것이 권장된다. 또한, 세법 개정에 따른 최신 정보를 지속적으로 업데이트하고 이에 적절히 대응하는 전략을 수립하는 것이 필요하다.

회계정리하고 있는 모습

◈ 까다로운 인도은행

인도에서 공장을 설립하든 어떤 사업을 하기 위해서는 거래를 할 수 있는 은행 계좌가 필요할 것이다. 하지만 인도 은행에서 첫 거래를 하는 것은 좀처럼 쉽지 않다. 특히, 외국인이 인도 은행과의 첫 거래를 시작하는 것은 쉽지 않은 과정이다. 인도 은행은 계좌 개설을 위한 검토 및 조건이 매우 까다롭고, 은행 직원의 서비스 수준도 한국 은행과 비교했을 때 상대적으로 떨어지는 경우가 많다.

법인 계좌뿐만 아니라 개인 계좌 개설에 있어서도 외국인은 서류나 검토 절차가 까다롭고 많은 시간이 소요된다. 이러한 이유로, 초기에는 한국 은행의 인도 지점을 통한 계좌 개설을 고려하는 것이 좋은 방법이 될 수 있다. 인도에는 여러 한국 은행이 진출해 있어, 이들 은행을 통해 더욱 편리하고 친숙한 서비스를 이용할 수 있다.

그래도 장기적으로 인도에서의 사업을 운영하기 위해서는 공과금 및 세금 납부와 같은 다양한 지불 처리를 위해 인도 은행의 결제 시스템을 사용할 필요가 있다. 따라서 인도 은행과의 거래는 필요하며, 인도 은행 계좌도 개설하는 것이 바람직하다.

인도에서 은행 거래를 하는 것은 여러가지 어려움을 동반하지만, 사업 운영에 필수적인 부분이므로 충분한 준비와 안내로 대응하는 것이 중요하다. 현지 은행과의 관계를 잘 구축하고 관리하면, 시간이 지남에 따라 보다 원활한 금융 거래가 가능해질 것이다.

◆ 회계신고 및 세금 관리

인도는 부가세를 GST(Goods and Services Tax)라고 명명하며, 이는 제품과 서비스의 종류에 따라 5%, 12%, 18%, 28% 등으로 다양하게 부과된다. 한국의 표준 부가세율인 10%와 비교했을 때, 인도의 GST는 높은 편이며, 이는 기업의 재무 관리에 중요한 영향을 미친다.

GST 신고는 매월 수행되어야 하며, 이는 매입 및 매출 거래를 관리하여 GST 포털에 업로드하는 방식으로 진행된다. 이 과정은 경험이 풍부한 경리 직원이 직접 수행하거나, 외부 회계사(CA, Chartered Accountant)에게 자료를 제공하여 대행하도록 할 수 있다.

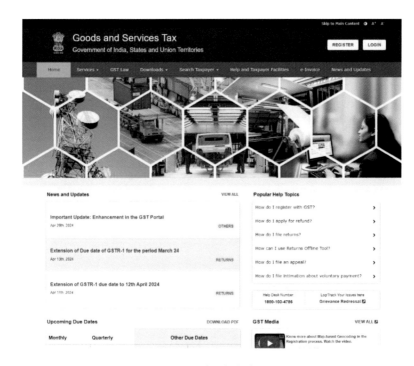

GST포털 웹사이트

TDS(Tax Deduction at Source) 납부도 매월 필요하다. TDS는 급여, 수수료, 임대료, 이자, 전문직 종사자 수수료 등의 비용 지급 시 원천징수한 세금으로, 기업이 직접 정부에 납부하는 세금이다.

인도의 세금 및 신고 시스템은 복잡하고 자주 변경되는 경향이 있으므로, 기업은 회계사나 세무 전문가와 긴밀히 협력하여 정기적으로 신고를 관리하고 업데이트해야 한다.

또한, 매달, 분기별, 매년 실시해야 하는 다양한 신고서류에 대해서도 주의 깊게 관리해야 한다.

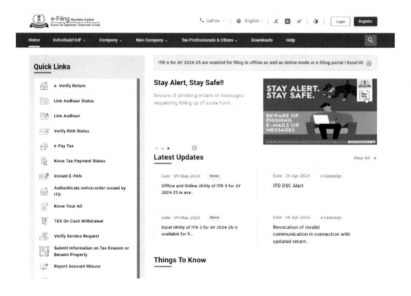

Income Tax 웹사이트

◈ 인도의 회계 연도

인도에서의 회계 연도는 한국 다르게 매년 4월에 시작하여 이듬해 3월에 종료되는 시스템이므로, 기업의 재정 관리 및 계획 수립에 주의가 필요하다. 즉, 모든 회계 및 재정적 관리 활동은 3월말까지 완료되어야 한다는 의미이다. 이 회계 연도의 특성으로 인해, 기업은 연간 예산 관리, 회계 결산, 영업 실적 관리와 같은 주요 재정 활동을 3월 말까지 마무리짓도록 조정된다. 그래서 일반적으로 직원의 급여 인상, 보너스 지급, 그리고 다양한 재정적 조정이 이 시기에 이루어진다.

따라서 인도에서 비즈니스를 운영하는 기업은 이러한 회계 연도의 특성을 이해하고, 재정 관리 및 계획 수립 과정에서 이를 고려하여 실무적 조치를 취해야 한다.

◈ 인도 기업의 컴플라이언스

인도에서 기업을 운영하기 위해서는 인도 기업법 (Companies Act)에 따라 규정을 지켜야 한다.

이러한 규정들을 법적 준수 또는 컴플라이언스 (Compliance)라고 한다. 인도 기업법은 기업의 설립부터 운영, 해산에 이르기까지의 모든 측면을 규정하고 있으며, 이에 따라 기업은 여러 법적 요구 사항을 지켜야 한다.

이 법은 기업의 등록 절차, 주주 및 이사회의 권리와 의무, 재무 보고 및 감사 요건 등을 포함하여 광범위한 영역을 다룬다. 이에 따라 기업은 이사회의 구성과 운영, 재무적 투명성, 법적 책임 및 감사 절차에 관한 엄격한 기준을 준수해야 한다. 특히, 재무 보고 및 감사는 기업의 신뢰성과 시장에서의 평판을 결정하는 중요한 요소이다.

컴플라이언스 관리는 단순히 법적 요구 사항을 충족하는 것을 넘어서 기업의 장기적 지속 가능성을 위한 필수적인 부분이다. 법적 준수를 위반할 경우, 기업은 벌금, 평판 손상, 심지어는 사업 운영에 대한 법적 제한을 받을 수 있으므로, 인도에서 사업을 운영하는 기업은 컴플라이언스를 기업 운영의 핵심 요소로 취급해야 한다.

◆ CS(Company Secretary)업무

인도에서 기업의 법적 준수와 컴플라이언스를 관리하는 핵심 업무는 CS(Company Secretary)에 의해 수행된다. CS는 기업법 및 다른 관련 법률에 대한 심층적인 전문 지식을 가진 전문가로, 그들의 역할은 기업의 법적, 재무적 책임을 관리하고 조언하는 역할을 한다.

한국에서는 이러한 CS 직업이 존재하지 않지만, 영국, 싱가포르, 말레이시아 등 여러 국가에서는 이 직업을 볼 수 있다. 이들은 회계사와 유사한 전문 직종으로, 자격증을 취득하기 위한 시험을 통과해야 하는 엄격한 요구 사항을 가진다. 특히 일부 규모가 큰 회사에서는 CS를 자체적으로 채용하는 것이 의무화되어 있다.

규모가 작은 회사의 경우, CS 업무는 회계사(CA)와 함께 외부 CS 사무실과의 계약을 통해 수행할 수 있다. 또한 일부 대형 회계사 또는 컨설팅 업체에서는 회계사와 CS를 함께 보유하고 있어, 한 번에 여러 관련 업무를 통합적으로 관리하는 서비스를 제공한다.

CS의 역할은 단순히 법적 준수를 넘어서 회사의 전략적 결정 과정에서도 중요한 조언을 제공할 수 있다. 이를 통해 기업은 복잡하고 끊임없이 변화하는 법적 환경에 능동적으로 대처하고, 효과적인 컴플라이언스 관리를 통해 법적 위험을 최소화할 수 있을 것이다.

제9장 라이선스 및 규정

◈ 필요한 라이선스 및 허가증

인도에서 공장을 설립하고 운영하려면 다양한 라이선스와 허가증이 필요하다. 이 과정에서 각 지역과 산업 분야에 따라 추가로 필요한 라이선스가 다를 수 있으므로 전문가의 조언을 받는 것이 중요하다.

1. 토지 사용 및 건물 계획 승인

공장 건설을 위한 토지 사용 및 건물 계획 승인은 지역 개발 당국에서 발급하며, 이는 건물이 해당 지역의 토지 사용 계획 및 건축 기준에 부합하는지를 확인하기 위함이다. 토지 소유권 증명서, 토지 사용 계획서 및 건축 설계도, 환경 및 교통 영향 평가 보고서 등이 필요하다. 지역 도시 개발 당국에 신청서를 제출하면 건물 계획의 기술적 검토가 이루어지며, 승인 후 건축 허가증이 발급된다.

2. 환경 허가

인도의 환경보호법(Environment Protection Act, 1986)에 따라 요구되는 이 허가는 공장의 운영이 환경에 미치는 영향을 최소화하기 위해 필요하다. 환경 영향 평가, 공장의 폐기물 관리 계획, 오염 방지 및 제어 계획 등을 준비해야 한다. 중앙 또는 지역 환경 규제 당국에 신청서를 제출한 후 환경 영향 평가를 거쳐 환경 허가증이 발급된다.

3. 화재 안전 승인

공장의 화재 예방 및 대응 시스템이 적절한지 확인하기 위해 주 소방청에서 발급하는 이 승인도 필수다. 건물의 화재 안전 설계도, 화재 예방 및 대피 계획, 소방 설비 및 장비 목록 등을 제출해야 한다. 주 소방청에 신청서를 제출한 후 현장 검사를 통해 화재 안전 시스템이 확인되면 화재 안전 허가증 또는 이의 없음 증명서(NOC: No Objection Certificate)가 발급된다.

4. 공장 허가, 라이선스

인도의 Factories Act, 1948에 따라 요구되는 이 허가 및 라이선스는 노동 및 고용부에서 발급한다. 공장이 적절한 안전 기준을 충족하고 있다는 것을 확인하기 위한 필수 절차다. 이를 위해 공장의 레이아웃과 건축 계획서, 공장의 위치와 주소, 설립 목적 및 생산 계획, 근로자의 근로 조건과 안전 대책 등을 제출해야 한다. 지역 노동부에 신청서를 제출한 후 공장 검사가 이루어지며, 안전 기준 충족 여부가 확인되면 공장 허가증 및 라이센스가 발급된다

각 허가증을 받기 위해서는 정확한 서류 준비와 철저한 준비가 필요하다. 인도 내 전문가와 협력하여 모든 요구 사항을 충족시키는 것이 중요하다.

◈ 관련 법률

인도에서 공장을 설립하기 위한 허가, 라이선스 및 규정
에 대한 관련 정보를 수집하려면 아래의 웹사이트에 방문하
여 참고하기 바란다.

1. The Factories Act, 1948(공장법): 이 법은 인도 공장의 설
립, 운영 및 안전을 관장한다.

노동 및 고용부(Ministry of Labour and Employment)

https://labour.gov.in/list-enactments-ministry

2. Companies Act, 2013(회사법): 이 법은 인도에서 기업의 형성, 운영 및 관리를 위한 법적 틀을 제공한다.
https://www.mca.gov.in/content/mca/global/en/acts-rules/ebooks/acts.html?act=NTk2MQ==

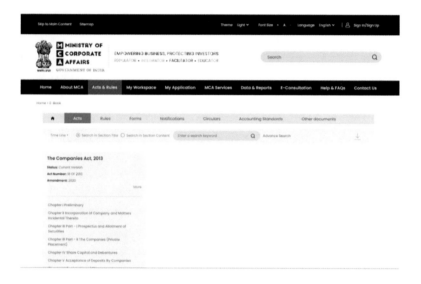

3. Central Pollution Control Boards(중앙 오염 통제 위원회): 인도에서 환경 오염에 관련된 규정을 제공한다. 환경 허가에는 수질오염, 대기오염, 소음공해, 폐기물관리, 환경보호 등 여러 가지 카테고리에 나누어 규정되어 있다.

https://cpcb.nic.in

4. BUREAU OF INDIAN STANDARDS: BIS (인도 표준국 인증): 품질 관리 및 표준 제도를 제공하며, BIS Act 2016에 따라 건설, 식품 및 제조와 같은 다양한 분야에서 규제를 시행한다.

https://www.bis.gov.in

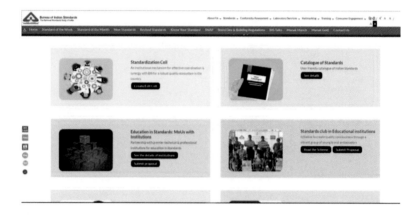

5. Central Drugs Standard Control Organization: CDSCO (중앙 의약품 표준 관리 기구): 의약품, 화장품, 의료기기 등의 인허가 및 규제에 관한 정보를 제공한다.

https://cdsco.gov.in/opencms/opencms/en/about-us/Introduction/

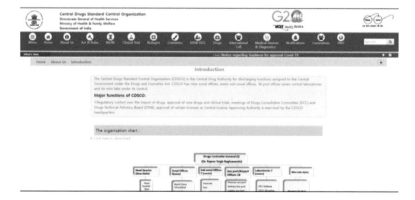

6. Food Safety and Standards Authority of India: FSSAI (인도 식품 안전 표준국):

식품 제조, 취급, 포장, 판매와 관련된 안전을 관리하고 면허 및 등록을 확인할 수 있는 곳이다.

https://www.fssai.gov.in

7. Central Board of Indirect Taxes and Customs (CBIC) 간접세 및 관세 중앙 위원회: 간접세 및 관세 중앙 위원회는 세금 및 관세와 관련된 정보 및 규제를 제공한다.

https://cbic-gst.gov.in

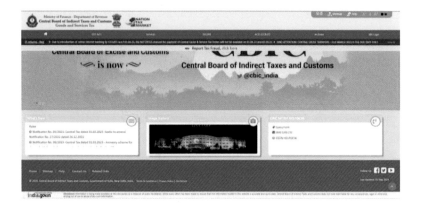

8. Employees´ State Insurance Corporation (ESIC): 직원들의 국가 보험 등록과 관련 규정에 대한 정보를 제공한다.

https://www.esic.gov.in

9. Employees' Provident Fund Organisation (EPFO) 직원
공제 기금 조직: 직원 공제 기금(EPF) 등록 및 관련 규정
에 대한 정보를 찾을 수 있다.

https://www.epfindia.gov.in

이렇게 다양한 법률 및 규정을 참고하면, 공장 설립과 운
영에 관련된 정보를 적절하게 수집하고 준수할 수 있다.

◈ 전문가 및 변호사 찾기

인도에서 변호사 또는 전문가를 찾을 때는 주의를 기울여
야 한다. 인도 변호사의 수임료는 천차만별이기 때문에 가

격만을 기준으로 판단하는 것은 좋지 않다. 비싼 수임료를 받는 전문적으로 보이는 변호사도 실제 업무 처리 능력이 형편없는 경우가 있으며 수임료가 저렴한 변호사 중에서도 착실하게 맡은 업무를 잘 처리하는 사람이 있다.

따라서 변호사나 전문가를 찾을 때는 최소 3명 이상을 만나 견적과 상의를 하여 판단하는 것이 좋다. 특히 인도에서는 라이선스를 위조한 가짜 변호사도 있기 때문에 더욱 주의가 필요하다.

변호사를 찾을 때는 해당 지역에 위치한 코트라(KOTRA)나 전문 기관에 문의하여 추천을 받는 것도 좋은 방법이다. 이러한 기관들은 다양한 현지 전문가 정보를 가지고 있으며, 이들을 이용하여 안전하게 업무를 진행할 수 있는 변호사를 선정할 수 있다.

◆ 감사 대비 및 관리

인도 정부는 예고 없이 공장을 방문하여 감사를 실시하는 경우가 있다. 관련 정부 부서에는 노동자 보호 부서, 세금 관리 부서, 환경 관리 부서, 화재 관리 부서 등이 있으며, 이들 부서의 공무원이 감사를 위해 방문할 때마다 다양한 문제점을 지적하는 경우가 많다. 인도에서는 아직도 일부 공무원이 문제를 지적한 후 눈감아주는 대가로 뒷돈을 요구하는 경우도 있어 가능한 한 정부의 규제와 규정을 철저히 준수하는 것이 중요하다.

만약 정부로부터 세무 조사나 세무 감사와 같은 중요한 공문을 받았다면, 최대한 세세하고 꼼꼼하게 대응해야 한다. 보통 세무조사나 회계 감사 같은 정부의 중요한 공문은 정부에 등록된 회사 공식 이메일 주소로 오기 때문에 정기적으로 공식 이메일을 잘 확인해야 한다.

세무 조사 공무원은 자료를 매우 꼼꼼하게 검토한다. 심지어 100루피와 같은 소액의 부정 사용까지 발견하고 이에 대한 벌금이나 이자를 부과할 수 있다. 따라서 세무 관련 자료를 준비하고 제출할 때는 더욱 철저한 검토와 확인이 필요하다. 이는 불필요한 법적 문제와 추가 비용 부담을 방지하는 데 도움이 된다.

उप/सहायक आयुक्त कार्यालय,

**Office of the Deputy/Assistant Commissioner,
Central Goods and Services Tax Audit Circle** ████████,

महोदय,

Notice for conducting GST audit

The required documents for audit for the financial year(s) 2017-18 (July-2017 to Mar-2018), 2018-19, 2019-20 , 2020- 21& 2021-22(if annual return filed) in accordance with the provisions of section 65 of the Central Goods and Service Tax Act, 2017. I propose to conduct the said audit at my office/ at the principal place of business in the month of December, 2022.

And whereas you are required to:-

i.　　afford the undersigned the necessary facility to verify the books of account and records or other documents as may be required in this context, and

ii.　　furnish such information as may be required and render assistance for timely completion of the audit.

It is requested that the following documents may please be furnished to this office for Desk Review purpose within 15 days:-

정부로부터 받은 세무조사 공문 (일부)

이러한 이유로 회계 및 세무 관리하는 경리직원은 능력 있는 직원을 확보하는 것이 중요하다. 인건비가 상대적으로 높더라도, 이런 직원은 잠재적인 문제를 사전에 파악하고 대응하는 데 큰 도움을 줄 수 있다. 특히 회계, 세무, 법률 관련 직무는 기업의 재정적 안정성과 법적 준수를 보장하는 데 핵심적인 역할을 하므로, 이러한 분야의 인력에 대한 투자는 아끼지 않는 것이 좋을 것이다.

제10장 인도 문화 및 생활

◈ 인도 문화

인도는 세계에서 가장 다채로운 문화를 가진 나라 중 하나로, 이 나라의 다양성은 비즈니스와 일상 생활 모두에 깊은 영향을 미친다. 수많은 언어, 종교, 그리고 다채로운 풍습이 공존하는 이곳에서는 사회적 상호작용과 비즈니스 관행이 그 다양성에 크게 의존한다. 인도에는 힌두교, 이슬람교, 시크교, 기독교 등 여러 종교가 어우러져 있고, 이러한 종교적 다양성은 사회적 규범과 업무 관행에도 중요한 역할을 한다.

1. 친절과 존중의 문화

인도 사회는 기본적으로 친절하고 존중하는 문화를 가지고 있다. 그래서 상대방에 대한 화나 감정적인 반응을 직접적으로 표현하는 것은 드문 편이다. 이는 사회적으로 성숙함과 인내의 특성을 높이 평가하는 경향과 관련이 있기 때문이다.

예를 들어, 상대방의 거짓말이나 잘못에도 불구하고 공개적으로 크게 화를 내는 것은 흔하지 않으며, 이는 자신의 넓은 마음과 성숙함을 보여주는 것으로 여겨진다.

이러한 문화적 특성은 많은 인도 기업에서도 관찰될 수 있으며, 대신 잘못한 직원에게는 그에 따른 적절한 징계 조치가 취해진다.

2. 신뢰 구축의 어려움

그러나 이러한 존중의 문화와 별개로, 인도 사회에서 서로에 대한 신뢰 구축은 보기가 쉽지 않다. 자주 발생하는 거짓말이나 변명으로 인해 사람들은 보통 관련 서류나 증거를 요구하게 되며, 상대방의 말이나 행동에 대한 의심이 깊은 편이다. 이러한 경향은 비즈니스 관계에서도 명확하게 나타나며, 구두 약속보다는 서면으로 된 계약이나 이메일을 통한 명확한 확답을 요청하는 것이 일반적이다.

따라서 인도에서는 중요한 업무나 지시사항을 전달할 때 구두로만 전달하지 않고, 이메일이나 문서로 기록을 남기는 것이 매우 중요하다. 이러한 문서화 과정은 혼란과 오해를 방지하며, 나중에 발생할 수 있는 불필요한 갈등이나 문제를 예방하는 데 도움이 된다.

3. 분쟁 이후의 현명한 접근

인도 사회의 또 다른 특징은 분쟁이나 말다툼 이후에도 비즈니스 관계를 유지하고 이를 빠르게 회복하는 능력이다. 서로 간의 어제 있었던 분쟁이나 불화에도 불구하고, 필요한 비즈니스 상황에서는 마치 아무 일도 없었다는 듯이 다시 비즈니스 테이블에 앉는 일이 흔하다. 이러한 태도는 인도 사회에서 분쟁이 실제로는 아무런 생산적인 결과를 가져오지 않는다는 인식이 있기 때문이다.

그래서 인도 사회는 감정적인 충돌보다는 실리와 현실적인 이익을 더욱 중요시하는 경향이 있다. 따라서 이런 인도 사회 문화의 이해는 비즈니스 관계를 강화하고 성공적으로 활동하는 데 필수적이다. 분쟁 이후에도 비즈니스 관계를 유지하고 이를 통해 서로를 더 잘 이해하며, 실리를 위해 협력하는 태도는 인도에서 비즈니스를 하는 데 있어 중요한 요소가 될 것이다.

◈ 가족과 종교 중심의 문화와 비즈니스 관계

인도의 사회 문화는 가족 중심의 가치관에 뿌리를 두고 있다. 가족의 영향력은 인도 비즈니스에도 중요한 역할을 한다. 예를 들어, 비즈니스 미팅 시 가족 식사에 초대하는 것은 좋은 관계를 구축하고 유지하는 데 중요한 요소로 여겨진다. 이는 단순히 식사를 공유하는 것을 넘어서, 서로에 대한 신뢰와 존중의 표시로 간주된다.

또한, 인도 직원들이 중요한 가족 행사를 위해 휴가를 내거나, 회사의 중요한 결정을 내릴 때 가족과 상의한다고 직접 표현하는 경우도 있다. 그래서 인도인들은 가족과 관련된 사항에 대해 깊은 애착을 갖고 있으므로, 가족의 중요성을 인정하고 존중하는 태도를 보여주는 것이 좋다.

특히 인도에서는 직원의 결혼식이 매우 중요한 행사로 간주된다. 한국의 결혼식 행사는 하루, 길어야 몇 시간으로 끝나는 반면, 인도의 결혼식은 여러 날에 걸쳐 다양한 행사가 이어진다. 인도 직원들은 자신의 결혼식을 위해 일주일에서 2주일까지도 휴가를 사용하며, 이는 가족과 친구들이 모두 함께 참여하는 중요한 문화적 전통이다. 이러한 긴 휴가 기간은 한국과 다른 문화적 차이로 이해하고 존중할 필요가 있다.

인도 사회의 다채로움은 그 고유의 종교적 및 전통적 요소에서 크게 비롯된다. 가족 중심 문화와 마찬가지로, 인도인들의 생활과 신념 체계에 깊숙이 뿌리내린 종교와 전통은 일상생활과 비즈니스 환경 모두에 영향을 미친다. 중요한 종교적 축제나 전통적 행사는 인도 사회에서 중대한 사건으로 간주되며, 이러한 이벤트에 대한 이해와 존중은 인도에서 비즈니스를 하는 데 중요하다.

예를 들어, 디왈리나 홀리와 같은 축제 기간에는 비즈니스 일정이 중단되거나 조정될 수 있으며, 이러한 축제에 대한 관심과 참여는 현지 파트너와의 관계를 개선하는 데 큰 도움이 될 수 있다.

또한 큰 종교적 축제는 인도인들에게 매우 중요하며, 이는 회사 차원에서도 고려해야 한다. 많은 인도 회사들은 종교적 축제를 회사의 중요한 이벤트로 취급하고, 때로는 전체 직원이 참여하는 행사를 주최하기도 한다. 한국의 설이나 추석과 같이 디왈리 같이 인도의 큰 명절에는 직원에게 선물이나 보너스를 주는 것도 고려해야 한다. 이러한 행사에 대한 적극적인 참여와 지원은 직원들의 사기를 높이고, 회사와 직원 간의 유대감을 강화하는 데 기여한다.

이런 종교와 전통은 인도 사회와 비즈니스 환경에서 떼려야 뗄 수 없는 중요한 요소이며, 이를 올바르게 이해하고 적절히 존중하는 태도는 인도에서 좋은 관계를 유지하고 발전시키는 데 있어 핵심적인 역할을 할 것이다.

◆ 의사소통의 미묘함과 현실적 대응

인도인들은 일반적으로 간접적인 의사소통을 선호한다. 이런 인도 문화에서 간접적인 의사소통 방식은 일상적인 대화뿐만 아니라 비즈니스 상황에서도 포함된다. '아니오'라고 직접적으로 말하는 것은 일반적으로 불쾌하게 여겨질 수 있기 때문에, '아마도', '가능성이 있다'와 같은 부드러운 표현이 선호된다.

이러한 특성은 인도인들이 자주 사용하는 "No Problem" 혹은 "No Issue"라는 단어에서도 나타난다. 이 표현은 긍정적인 의미로 해석될 수 있지만, 실제로는 상황에 따라 다양한 뜻을 내포할 수 있으므로, 언제나 말 그대로만 받아들이지 않는 것이 중요하다.

비즈니스 협상과 의사결정 과정에서도 인도인들은 대체로 긍정적이고 호의적인 대답을 하는 경향이 있지만, 이것이 반드시 그들의 실제 의사를 반영하는 것은 아니다. 예를 들어, 요청이나 제안에 대한 긍정적인 답변이 있어도 실제로는 그 요청이 받아들여지지 않거나, 시간을 끌며 일정을 미루는 경우가 종종 발생한다. 이는 결국 프로젝트의 지연이나, 의도치 않은 결과로 이어질 수 있다.

따라서 상대방의 긍정적인 반응에만 의존하지 않고, 다른 대안을 준비하고 현실적인 계획을 세우는 것이 중요하다. 이러한 간접적인 표현을 이해하고, 상황에 따라 유연하게 대처할 수 있는 능력을 갖추는 것이 중요하다. 또한, 의사소통 과정에서 발생할 수 있는 오해를 최소화하기 위해 명확하고 구체적인 커뮤니케이션을 추구하는 것이 바람직하다.

◆ 업무 스타일

인도의 업무 스타일은 조직 구조가 상대적으로 수직적이며, 상사의 지시에 따르는 것이 중요시되는 경향이 있다. 또한 설령 상사의 지시에 문제가 있다 판단하더라도 본인의 반대되는 의견을 표시하는 것을 꺼려하고 책임을 지지 않으려는 경향이 있어 상사의 지시 그대로 따라하는 경우도 있다. 그래서 항상 유동적인 의견 교환이 필요하며, 직원의 생각이나 의견도 청취해 볼 자세가 필요하다.

또한 책임소재와 관련된 일에서는 책임을 회피하기 위해 수동적인 태도가 많다. 그래서 문제가 생겼을 때에 괜히 나서서 문제를 해결하려다 잘못되면 본인이 책임질 것에 대한 두려움으로 아무도 나서지 않는다. 또한 상사에게 보고도 서로 미루다 시간이 한참 지연된 후에 뒤늦게 발견되어 문제가 더 커지는 경우도 생긴다.

그래서 각자의 맡은 업무와 책임 소재를 정확히 구분해 주고, 문제 발생 시 보고 프로토콜도 명확히 세워두는 것이 좋다. 따라서 명확한 목표와 계획을 세우고, 계속해서 확인하며 지속적인 피드백을 제공하는 것이 중요하다.

◈ 마감 기한 관리

일반적으로 인도에서의 업무 처리는 속도는 느리며, 약속한 기한 내에 작업을 완료하지 못하는 경우가 흔하다. 보통 거래 업체나 직원이 제시하는 기한보다 실제 소요 시간은 훨씬 많이 소요된다. 예를 들어, "1주일 후에 완성될 것이다"라고 보고한다면, 실제로는 2~3주 정도 걸릴 것으로 예상하고 계획을 세우는 것이 현명하다. 이러한 접근은 기한을 넘기지 않도록 충분한 여유를 가지고 업무를 진행하는 데 도움이 될 것이다.

중요한 업무나 특정 기한 내에 완료해야 할 작업에는 인센티브나 페널티를 적용하는 것이 좋은 방법 일 수 있다. 예를 들어, "시간 내에 완료하면 추가 보너스 10%를 지급하겠다" 또는 "기한을 넘기면 페널티로 5%를 깎겠다"는 식의 조건을 설정할 수 있다. 이는 상대방의 동기를 부여하고, 기한 준수를 장려하는 데 도움이 될 수 있다.

반면에 기한 내에 완료하려는 압박으로 인해 품질이 저하될 수 있는 위험도 고려해야 한다. 이를 방지하기 위해, 업무 지시서나 계약서에 "제대로 완성되어야 할 특정 요소"를 명확하게 정의하고 명시하는 것이 중요하다. 이는 업무의 품질을 보장하는 동시에 시간 관리의 효율성을 높일 수 있을 것이다.

◈ 문화 차이와 효율성 이해의 차이

인도와 한국의 업무 문화에서 나타나는 중요한 차이점 중 하나는 작업 방식과 효율성에 대한 접근 방식이다. 인도의 업무 스타일은 일반적으로 느긋하며, 문제 발생 시 관리자의 지시나 해결책을 기다리는 경향이 있다. 이는 한국의 효율성 중심 문화와 큰 차이를 보이며, 때로는 한국인의 시각에서는 매우 비효율적으로 보일 수 있다. 이로 인해 인도에서는 작업에 시간이 더 많이 소요될 수 있으며, 갑작스러운 변화나 지시보다는 단계적이고 점진적인 접근을 선호한다.

이에 한국인이 인도인의 작업 효율성에 대해 불만을 표현하거나 감정적으로 반응하는 것은 대부분 좋지 않는 영향을 줄 수 있으며, 상황을 악화시킬 수 있다. 인도인은 이러한 감정적 반응을 불안정하고 부정적으로 해석하고 이해를 못할 수 있으며, 이는 팀의 분위기와 전반적인 작업 효율성에 부정적인 영향을 미칠 수 있다.

따라서 인도에서의 프로젝트 관리에는 일정에 여유를 두는 것이 중요하다. 빠른 진행보다는 정확한 처리에 집중해야 하며, 이는 장기적으로 더 효율적인 결과를 가져올 수 있다. 인도의 작업 문화를 이해하고 적응하는 것은 상호 이해를 증진시키고, 효과적인 협력을 통해 공장의 효율적인 설치와 운영을 가능하게 할 것이다.

◈ 인도 생활: 음식과 위생에 관한 주의사항

인도에서의 생활은 새로운 경험과 도전이 가득하지만, 그 중에서도 음식과 관련된 문제는 큰 도전 중 하나다. 인도 음식은 그 맛과 풍미가 다양하며, 강한 향신료와 카레의 사용이 특징적이다. 이는 한국인들에게 낯설고, 때로는 소화하기 어려울 수 있다. 특히, 인도에서 가장 주의해야 할 것 중 하나는 물과 음식에 대한 위생 문제다. 인도의 물은 한국과 다른 수질 특성을 가지고 있어, 이로 인해 물갈이 문제가 자주 발생한다. 물갈이는 단순히 복통의 수준을 넘어, 심각한 배탈이나 설사를 유발할 수 있기 때문에, 인도에서는 특히 물에 대한 주의가 필요하다.

인도에 처음 방문한 한국인들은 음식을 선택할 때 신중을 기해야 한다. 현지 음식에 익숙해지기 까지는 시간이 필요하며, 갑작스러운 식습관의 변화는 소화 장애를 일으킬 수 있다. 가급적이면 가볍고 소화하기 쉬운 음식으로 시작하여,

서서히 현지 음식에 적응해 나가는 것이 좋다.

인도 음식 (탈리)

　만약 배탈이나 설사 같은 증상이 발생한다면, 즉시 병원을 방문하여 적절한 치료를 받는 것이 중요하다. 인도에서는 이러한 증상에 대응하기 위해 의사로부터 효과적인 처방을 받을 수 있으며, 처방받은 약 복용 후 의외로 빠른 시간 안에 증상이 완화되는 경우가 많다. 인도에서의 생활은 적응의 과정이 필요하며, 특히 음식과 관련된 부분에서는 더욱 그렇다. 음식 선택에 신중을 기하고, 위생에 주의를 기울여 건강한 생활을 유지할 수 있도록 노력해야 한다.

◈ 인도 생활: 뎅기열과 모기에 대한 주의

인도 생활을 하면서 또한 조심해야 할 건강 문제 중 하나는 바로 뎅기열과 모기에 의한 감염성 질병들이다. 인도는 뎅기열, 말라리아, 치킨구니아 같은 모기 매개 질병이 흔한 지역으로, 매년 이러한 질병에 앓는 사람들이 상당수 발생한다. 이러한 질병은 모기에 물림으로써 전염되며, 특히 뎅기열의 경우 심각한 건강 문제를 야기할 수 있다.

뎅기열은 네 가지 유형의 뎅기 바이러스에 의해 발생하며, 각각 다른 유형의 바이러스에 대한 면역력을 갖게 된다. 이는 첫 번째 감염 후 다른 유형의 바이러스에 노출될 경우 더욱 심각한 증상을 경험할 수 있음을 의미한다. 심각한 경우 내부 출혈이나 장기 손상을 초래하고, 생명을 위협할 수도 있다.

뎅기열의 증상은 갑작스러운 고열, 몸살감, 두통, 근육 및 관절 통증 등이다. 만약 이러한 증상이 나타난다면 즉시 병원을 방문하여 검사를 받아야 한다. 인도에서는 일반적으로 뎅기열에 대한 진단과 치료가 잘 이루어지고 있어, 조기 발견과 적절한 치료가 가능하다.

모기에 의한 감염을 예방하기 위해서는 다양한 조치가 필요하다. 우선, 모기장을 사용하거나 모기기피제를 바르는 것이 좋다. 또한, 모기가 많이 발생하는 우기에는 가능한 한 긴팔 옷과 긴 바지를 입어 피부 노출을 최소화하는 것이 좋다. 집이나 사무실 내에서도 모기 퇴치제를 사용하여 모기의 출입을 차단하는 것이 중요하다.

인도에서의 생활은 많은 적응을 요구하지만, 특히 건강관리에 있어서는 각별한 주의가 필요하다. 댕기열과 같은 모기 매개 질병에 대한 경각심을 갖고 예방 조치를 철저히 취함으로써, 건강하고 안전한 생활을 유지할 수 있을 것이다.

◆ 인도 생활: 코트라와 대사관 활용

인도에서 생활하고 있는 한국인들에게 코트라(KOTRA)와 대사관의 역할은 매우 중요하다. 이들 기관은 인도에서의 비즈니스에 필요한 다양한 정보와 지원을 제공해주고 있다.

대사관 주최 세미나

코트라와 대사관에서 정기적으로 세미나를 개최해 인도의 경제 상황, 세금 이슈, 통관 문제, 법률적 요소 등에 대한 깊이 있는 정보를 제공한다. 이러한 정보는 한국에서 온 많은 비즈니스 관련자들에게 인도의 복잡한 환경을 이해하고, 효과적으로 비즈니스를 운영하며 생활하는 데 큰 도움이 될 것이다. 특히 오프라인 세미나는 많은 한국 기업 관련자들과 비즈니스 네트워크를 구축하고 정보를 교류하는 중요한 기회를 제공할 것이다. 따라서, 인도에 진출한 한국 기업들과 교민들은 코트라와 대사관에 문의하여 서비스를 적극적으로 활용하고 최신 정보와 소식을 받아 볼 수 있을 것이다.

◈ 비자 및 FRRO

인도에서 한국인으로 비자 및 FRRO(Foreigners Regional Registration Office) 등록을 진행하는 과정은 복잡하고 주의를 요하는 부분이다.

비자의 종류는 사업, 근로, 학업 등의 목적에 따라 다양하므로, 목적에 맞는 적절한 비자를 선택해 신청하면 된다. 비자 신청은 인도 대사관 또는 온라인을 통해 가능하며, 비자 종류에 따라 필요한 서류가 다를 수 있다.

인도에 도착한 후, 180일 이상의 장기 체류를 할 경우 FRRO에 등록하는 절차를 밟아야 한다. 외국인 거주 등록증(Foreigners Regional Registration Office, FRRO Certificate)은 인도에서 외국인으로 거주하고 활동하기 위해 필수적인 서류다. 인도 정부는 이 FRRO 시스템을 통해 외국인의 체류 기간, 체류 목적, 거주지 등을 관리한다. 이 외국인 거주 등록증(FRRO Certificate)는 인도에 장기 체류하는 외국인에게 필수적으로 요구된다.

이 외국인 거주 등록증(FRRO Certificate)은 단순한 등록을 넘어 다양한 상황에서 필요하다. 예를 들어, 은행 계좌 개설, 집 임대, 전화 개통 등 일상적인 생활에서도 요구될 때가 있으며, 체류 기간 연장이나 비자 종류 변경, 주소, 직장 등의 변동 사항이 있을 경우에도 FRRO에 신고해야 한다. 또한 인도 입국시나 출국 심사 시에도 외국인 거주 등록증(FRRO Certificate)을 확인하니 항시 소지하고 있는 것이 좋다.

외국인 거주 등록증(FRRO Certificate) 신청 시 제출해야 할 서류로는 여권, 비자, 비자 승인서, 주거지 증명서, 고용 계약서, 요청서(Request Letter), 서약서(Undertaking Letter) 등이 있으며 비자의 종류에 따라 필요서류가 다를 수 있다. 각 서류는 FRRO 웹사이트에서 PDF파일을 통해 제출하면 된다.

외국인 거주 등록증(FRRO Certificate)을 신청하는 과정은 복잡할 수 있으므로, 철저한 준비와 필요 시 전문가의 도움을 받는 것이 좋다. 인도에는 신청을 대행해 주는 업체가 많이 있으므로, 여러 군데 상담 후 진행하는 것도 좋은 방법이다. 그러나 절차에 익숙해지면 직접 FRRO 홈페이지에 방문하여 신청하는 것도 추천할 만하다. 이를 통해 시간과 비용을 절약할 수 있으며, 신청 과정을 보다 명확하게 이해할 수 있을 것이다.

e-FRRO 웹사이트

◆ 인도에서 계약서 작성 시 주의사항

인도에서는 다양한 계약서를 검토하고 서명해야 한다. 비즈니스를 할 때 사소한 일에도 계약서를 작성하는 경우가 많고, 생활 속에서도 다양한 계약서를 검토하고 서명해야 하기 때문이다. 예를 들어, 집을 렌트할 때에도 계약서를 검토하고 서명하는 과정이 필요하다.

인도의 계약서에는 불필요해 보이는 내용도 많이 포함되어 있다. 따라서 내용을 대충 확인하고 서명하는 경우가 많지만, 이는 매우 위험한 행동이다. 계약서에는 상대방에게 유리한 면책 조항이나 나에게 불리한 독소 조항이 포함되어 있을 수 있기 때문이다. 계약서에 불리한 조항이 있다면, 상대방에게 해당 내용을 수정해 달라고 요청하는 것이 좋다. 지금은 대수롭지 않게 넘어갈 수 있지만, 실제로 문제가 발생하면 큰 손해를 볼 수 있기 때문이다.

실제로 인도에서 집을 렌트 할 때 계약서에 집에 있는 가전제품이 고장 나면 세입자가 책임져야 한다는 조항이 있어 세입자가 큰 비용을 들여 해당 제품을 수리해야 하는 상황이 발생하기도 했다.

또한, 자신의 권리와 의무를 명확히 파악하는 것이 중요하다. 계약서에 적혀 있는 조건과 조항을 정확히 이해하고, 내가 그 조건들을 모두 지킬 수 있는지 판단해야 한다. 이는 계약을 이행하는 과정에서 생길 수 있는 분쟁을 예방하는 데 중요한 역할을 할 것이다.

따라서, 인도에서 계약서를 작성하거나 검토할 때에는 내용을 꼼꼼하게 확인하고, 필요한 경우 전문가의 도움을 받는 것이 중요하다. 이는 법적 문제를 예방하고, 계약 이행 중 발생할 수 있는 위험을 최소화하는 데 필수적이다.

◈ 인도에서 운전 시 주의

인도에서 운전하는 것은 많은 외국인에게 큰 도전이 될 수 있다. 우선 인도에서 운전하기 위해서 한국에서 국제운전면허증을 가지고 오거나, 인도 현지에서 직접 운전면허증을 만드는 두 가지 방법이 있다. 하지만 실제로 인도의 도로에서 운전하는 것은 한국과는 매우 다른 경험이 될 것이다.

인도에서는 차량의 운전대가 오른쪽에 있다. 이는 한국과 반대로, 운전하는 데 처음에는 어색함을 느낄 수 있다. 또한, 인도의 많은 사람들이 교통 질서를 지키지 않는 경향이 있다. 역주행, 무리한 차선 변경, 과속 등이 흔한 일이며, 이는 인도 운전에 익숙지 않은 외국인에게 많은 스트레스를 줄 수 있다. 그리고 도로 상태가 좋지 않은 곳이 많고, 밤에는 가로등이 없어 시야가 제한적인 경우가 많다. 도로 곳곳에

깨진 부분이 많으며, 도로 위에 동물이 있는 경우도 흔하다. 이러한 상황은 운전에 있어 많은 주의가 필요하다. 또한 많은 보행자들이 무단 횡단을 하고, 경적 소리가 끊임없이 들려오는 것도 인도 운전의 일반적인 모습이다. 이러한 환경에서 운전하려면 높은 인내심과 집중력이 필요하다.

반면 인도 사람들은 이러한 문제에 대해 크게 인식하지 않는 듯한 태도를 보이며, 당연한 것처럼 이러한 상황 속에서 운전을 한다. 따라서 인도에서 운전할 때는 안전과 주의가 필요하다. 인도의 도로 상황에 익숙해지기 까지는 시간이 필요하며, 가능하다면 처음에는 현지 운전자에게 운전을 맡기는 것이 안전할 수 있다.

◆ 인도에서 차량 사고 시 주의사항

인도에서 운전 중 차량 사고가 발생했을 때 처리 방법은 한국과 매우 다르다. 인도에서는 보험사가 사고 현장에 나와 처리를 해주는 시스템이 발달하지 않았으며, 차량 수리 역시 원활하지 않을 수 있다. 따라서 사고 처리는 대부분 운전자가 직접 해야 하며, 상황에 따라 매우 복잡하고 어려운 과정을 겪을 수 있다.

사고 발생 시 잘잘못을 따지는 것은 쉽지 않으며, 특히 인도 사람들은 본인의 잘못을 인정하지 않는 경향이 강하다. 이로 인해 부당함을 느끼는 상황이 자주 발생할 수 있다. 또한, 인도의 경찰은 사고에 직접 개입하여 중재하는 것이 아니라 대부분 사고 당사자들끼리 해결하도록 방치하는 경우가 많으니 인도에서는 사고가 발생하지 않도록 최대한 주의를 기울이는 것이 중요하다.

보행자나 오토바이와의 사고는 특히 조심해야 한다. 심지어 사고가 상대방의 잘못으로 인해 발생했더라도, 차량 운전자가 책임을 지는 경우가 많다. 사고가 발생하면 보행자나 오토바이 운전자의 치료비는 물론 후유증에 대한 책임까지 물어야 할 수 있다. 이 과정에서 경찰이 외국인 운전자에 대해 더욱 불리하게 처리하는 경우도 있다.

보험 처리 과정 역시 순탄치 않다. 사고 발생 후 경찰에 사고 접수를 하고, 보험사에 사고 신고를 해야 한다. 이후 병원비 청구 과정에서도 다양한 검증 및 서류 처리가 필요하며, 이는 상당한 시간과 노력을 요구할 수 있다.

도로 위 갑작스러운 소의 출몰로 인한 사고

이러한 점들을 고려할 때, 인도에서 운전할 때는 사고 발생 가능성을 최소화하기 위해 더욱 주의가 필요하다. 사고 발생 시 적절한 대응을 위해 가능하다면 현지 전문가의 도움을 받는 것도 좋은 방법이다. 제일 좋은 점은 운전기사를 두는 것이 제일 안전하고 스트레스를 덜 받는 지름길이다.

◆ 인도에서 운전기사 사용 시 주의사항

이로 인해 대부분의 외국인이나 경제력이 있는 인도인들은 자신의 차량을 운전할 기사를 고용한다.

그래서 인도에서는 수동 기어 차량이 많은 이유이다. 인도의 상대적으로 저렴한 인건비는 운전기사를 고용하기에 부담이 적다. 기본적인 영어 소통이 가능한 운전기사의 급여는 일반적으로 월 30만원에서 50만원 사이이다.

그러나 운전기사를 고용할 때 고려해야 할 사항들도 있다. 기사의 신뢰성, 운전 능력, 그리고 직업 윤리는 운전기사를 고용할 때 중요하게 고려해야 할 요소들이다. 또한, 운전기사가 차량 관리와 유지보수를 적절히 수행하는지도 확인해야 한다.

인도에서는 운전기사들의 자질과 성격이 매우 다양하며, 그 중에는 운전기사로서 부적합한 경우도 적지 않다. 일부 운전기사는 음주운전을 하는 위험한 습관을 가지고 있을 수 있으며, 심지어 가짜 운전 면허증을 사용하는 경우도 있다. 이외에도 운전 실력이 떨어지거나 운전 경력을 속이는 기사들도 있어, 채용 과정에서 철저한 검증이 필요하다. 또한, 운전기사가 차량의 기름을 몰래 훔치거나 사고를 내고 도망치는 등의 부정행위를 저지를 수도 있다.

이러한 문제들을 방지하기 위해서는 운전기사를 채용할 때 경찰의 신원 확인서를 요청하는 것이 좋다. 인도에서는 이러한 문제가 흔하기 때문에, 'Police Verification'이라는 신원 확인 서류가 존재한다. 이 서류를 통해 운전기사의 배경을 확인하는 것은 안전한 채용을 위해 필수적이다. 가능하다면 신뢰할 수 있는 사람으로 추천을 받아 운전기사를 구하는 것이 이상적이며, 채용 후에도 정기적인 모니터링과 소통을 통해 문제를 사전에 예방하는 것이 필요하다.

운전기사 채용 시의 철저한 검증과 관리는 단순히 운전에 대한 스트레스를 줄이는 것뿐만 아니라, 안전한 운전 환경을 조성하는 데에도 중요한 역할을 할 것이다.

◈ 인도에서의 흰개미 문제

인도에서 생활하는 동안 여러 독특한 문제에 직면할 수 있는데, 그 중 하나가 흰개미 문제이다. 이 작은 해충은 인도의 다습하고 햇볕이 잘 들지 않는 주거 환경에서 쉽게 발생할 수 있다. 흰개미는 나무 재질의 가구나 구조물을 먹어서 파괴하기 때문에, 이를 방지하기 위한 철저한 관리가 필요하다. 흰개미의 활동은 종종 눈에 띄지 않아, 가구나 집의 구조적 안전성에 심각한 피해를 줄 수 있다. 흰개미는 단순히 나무만을 대상으로 활동하지 않는다. 서류, 책, 그리고 기타 종이 기반 자료도 그들의 피해를 입을 수 있다. 이러한 문제는 특히 가정에서 큰 골칫거리가 되며, 문제가 발견되면 즉시 대응하는 것이 중요하다.

인도의 집주인들은 일반적으로 흰개미 문제에 대해 잘 알고 있다. 흰개미가 발견되면, 집주인에게 즉시 알리고 문제 해결을 요구하는 것이 좋다. 그러나 흰개미를 박멸하기 위해 사용되는 독한 농약은 매우 냄새가 심해 박멸 작업을 하는 동안 집에서 머물기 어려울 수 있다.

흰개미 박멸 작업

더욱이 한번 흰개미가 출몰한 집에서는 완전히 그들을 제거하는 것이 어려울 수 있다. 시간이 지나면 다시 출현할 가능성이 높기 때문에 제대로 된 해결책을 만들기 어렵다. 그래서 이런 상황에서는 다른 주거지로 이사 가는 것이 더 현명한 선택일 수 있다. 흰개미의 재출현 가능성과 독한 약제 사용으로 인한 거주 불가능 상황, 그리고 개인 소유의 가구와 집기들의 손상 가능성을 고려할 때 이사가 보다 합리적인 해결책이 될 수 있다.

이러한 문제를 예방하기 위해, 주거지를 정기적으로 검사하고, 습기를 제어하며, 나무재질의 가구나 구조물을 주기적으로 점검하는 것이 중요하다. 또한, 장기간 사용하지 않는 방이나 가구는 주의 깊게 관리하여 흰개미가 서식하는 환경을 만들지 않도록 노력해야 한다.

◈ 인도의 대기오염 문제

인도의 대기오염 문제는 특히 델리와 같은 일부 지역에서 극도로 심각한 상황에 이르고 있다. 겨울철이 되면 델리는 세계에서 대기오염이 가장 심한 지역 중 하나로 꼽히며, 이러한 대기오염은 일상생활에 큰 영향을 미친다. 대기오염의 주된 원인으로는 농업 잔여물의 소각, 난방 및 취사용 폐자재의 소각 등이 있다. 이러한 활동들은 독성물질의 확산을 유발하며, 저감장치가 없는 발전소나 공장들도 대기 질을 악화시키는 주요 요인이다.

대기오염이 심각할 때 외출을 자제하는 것이 좋고 만약 외출이 불가피한 경우, 반드시 마스크를 착용해야 한다. 실내에서도 외부의 미세먼지가 창문이나 샤시를 통해 들어와 실내 공기질을 악화시킬 수 있으므로, 공기 청정기를 사용하는 것이 좋다.

감사의 글

이 책을 집필하는 과정에서 많은 분들의 도움과 지지가 있었습니다. 먼저, 인도에서의 공장 설립과 운영에 있어 끊임없는 지원을 보내주신 한국 본사의 손윤호 회장님, 남이사님, 홍이사님, 권부장님, 이과장님, 그리고 본사 모든 직원분들께 깊은 감사의 말씀을 드립니다. 그분들의 지도와 격려가 없었다면 이 책은 결코 완성될 수 없었을 것입니다.

또한, 인도에서의 공장 운영을 함께 해 주신 인도 현지 직원들께도 감사의 마음을 전합니다. 그분들의 헌신과 노력 덕분에 인도 공장은 성공적으로 운영될 수 있었습니다.

무엇보다도, 어디에서 무엇을 하든지 항상 저를 지지하고 응원해준 저의 아내 손희경에게 깊은 감사의 마음을 전합니다. 당신의 사랑과 격려가 없었다면, 저는 이 도전적인 여정을 계속할 수 없었을 것입니다. 그리고 항상 밝고 씩씩하게 자라고 있는 나의 예쁜 딸 소연과 지연에게도 감사의 마음을 전합니다. 너희들의 환한 웃음과 사랑이 나에게 큰 힘이 되었단다!

그리고 무엇보다도, 이 모든 과정에서 함께 하시며 힘과 용기를 주신 하나님께 깊은 감사와 찬양을 드립니다. 하나님의 은혜와 인도하심이 없었다면, 저는 이 길을 걸어올 수 없었을 것입니다. 하나님께서 제게 주신 지혜와 힘으로 모든 어려움을 극복할 수 있었음을 고백합니다.

이 책이 많은 분들에게 도움이 되기를 바라며, 이 책을 읽는 모든 독자들이 자신의 사업 여정에서 성공을 거두기를 진심으로 기원합니다. 감사합니다.

참고

제2장 입지 선정 및 초기 계획

https://www.investindia.gov.in/states

인베스트 인디아

https://www.kotra.or.kr/newdelhi/index.do

코트라 뉴델리 무역관

https://www.mca.gov.in/content/mca/global/en/acts-

rules/ebooks/acts.html?act=NTk2MQ==

인도 법인 설립 내용 참고

제4장 공장 설비 조달 및 설치

https://www.indiamart.com/

인디아 마트

https://www.tradeindia.com/

트레이드 인디아

제5장 인력 채용 및 교육

https://www.naukri.com/

나우크리

제6장 공장 가동

https://www.dtdc.in/tracking.asp

DTDC

제7장 제품 영업 및 판매

https://brandservices.amazon.com/

아마존 브랜드 보호

제8장 경리 및 세무 관리

https://www.gst.gov.in/

GST포탈

https://www.incometax.gov.in/iec/foportal/

Income Tax

제9장 라이선스 및 규정

https://labour.gov.in/list-enactments-ministry

https://www.mca.gov.in/content/mca/global/en/acts-

rules/ebooks/acts.html?act=NTk2MQ==

https://cpcb.nic.in

https://www.bis.gov.in

https://cdsco.gov.in

https://www.fssai.gov.in

https://cbic-gst.gov.in

https://www.esic.gov.in

https://www.epfindia.gov.in

제10장 인도 문화 및 생활

https://indianfrro.gov.in/eservices/emenufrro.jsp?t4g=EQIXDPKSVROQ

khrkulrihq9248219096

e-FRRO